LIBERTÉS ET RESPONSABILITÉS DES JOURNALISTES ET DES AUTEURS

Le Centre de formation et de perfectionnement des journalistes (CFPJ) est situé rue du Louvre, à Paris, au cœur du quartier de la presse. Il a été fondé en 1946, pour former des jeunes au métier de journaliste. Accueillant des étudiants et des stagiaires français mais aussi étrangers, il est organisé en trois grands départements.

● *Le Centre de formation des journalistes* (CFJ) qui assure la formation première. Plus de 1 500 jeunes gens et jeunes filles y ont fait leurs études : nombre d'entre eux occupent maintenant des postes importants dans les journaux, les agences de presse, à la radio, à la télévision.

● *Le Centre de perfectionnement des journalistes et des cadres de la presse* (CPJ) créé en 1969, où des journalistes et des techniciens des entreprises de presse peuvent venir suivre des stages et des cours pour se perfectionner dans leur métier et se tenir au courant des techniques nouvelles. Environ 2 000 stagiaires suivent des formations au CPJ chaque année.

● *Le Centre d'information sur les médias* (CIM) qui organise des stages pour les personnels des entreprises, des administrations, des associations, des syndicats, qui veulent se familiariser avec la presse et apprendre à mieux communiquer. Ce sont plus de 3 000 personnes qui s'inscrivent chaque année aux stages et aux cours du CIM.

Pour réaliser sa mission le CFPJ est équipé de trois studios radio, de deux studios de télévision couleur, d'une salle de rédaction télématique, d'une salle de micro-informatique et d'un système rédactionnel informatisé.

Pour tout renseignement :
Centre de formation et de perfectionnement des journalistes,
33, rue du Louvre, 75002 Paris. Tél. : (1) 45 08 86 71.

Editions du Centre de formation et de perfectionnement des journalistes
29, rue du Louvre, 75002 Paris

C. F. P. J.

Libertés et responsabilités des journalistes et des auteurs

Michel Friedman

LES GUIDES DU CENTRE DE FORMATION
ET DE PERFECTIONNEMENT DES JOURNALISTES

Dans la même collection :

Abrégé du Code typographique à l'usage de la presse
Barbarismes et compagnie
Comment créer et animer une publication
Glossaire des termes de presse
Guide de la rédaction
Guide des sources d'information
Guide du correspondant local
Guide du droit de la presse
La critique des spectacles
Petit lexique des termes judiciaires
Pour mieux communiquer avec la presse
Précis de mise en page

A PARAÎTRE
Le reportage radio-télé
L'interview radio-télé

Sommaire

Avant-propos

Préambule en forme de plaidoyer

« Dans cette enceinte où défilent tant de pauvres hères et de mauvais garçons, il ne nous est guère agréable de voir comparaître des gens que leur culture et leur position devraient normalement tenir à l'abri des réquisitions de la Justice. »

C'est à peu près en ces termes que le président d'une chambre correctionnelle accueillait, voilà plus de vingt ans, un jeune journaliste qui n'était autre que le futur auteur du présent guide. En qualité de directeur de la publication d'un magazine aujourd'hui disparu, il se trouvait ce jour-là cité à la barre des prévenus. Dans des conditions sur lesquelles nous ne manquerons pas de revenir, il lui était reproché d'avoir simplement publié un article qu'il n'avait pas écrit lui-même, et qui contenait des allégations dont rien ne lui semblait permettre de déceler le catactère répréhensible.

Près d'un quart de siècle s'est écoulé depuis lors, mais le souvenir de cette audience est resté cuisant. Il n'est en effet jamais plaisant de s'entendre chapitrer, encore moins en public et spécialement pour qui se considère comme un adulte. Mais le pire, de très loin, dans une telle situation, demeure le sentiment de se faire admonester avec raison - tout simplement parce que l'on a réellement eu tort !

Pareille mésaventure n'a pourtant rien d'extraordinaire. Elle ne menace pas seulement les jeunes imprudents et les grands patrons de presse. Elle peut arriver chaque jour à quiconque entreprend de communiquer de quelque manière que ce soit, en prenant le risque d'oublier que les libertés d'expression ne peuvent se mettre en œuvre que dans les limites des responsabilités qu'elles comportent.

A ce titre, les pages qui vont suivre ne s'adressent pas seulement aux journalistes professionnels « qui exercent leurs activités dans les conditions déterminées par la loi ». Elles sont également destinées à tous ceux qui collaborent par tous moyens, régulièrement ou occasionnellement, à la presse, à l'édition ou à la publicité, tant écrites qu'audiovisuelles. Et elles concernent largement tous ceux que leurs métiers ou leurs goûts pousseront, tôt ou tard, à publier des messages.

Comme leur qualification légale le suggère, les responsables des publications imprimées, visuelles ou sonores, restent - nous le verrons - les plus impliqués. Mais le caractère collectif de toute communication, même littéraire ou artistique, met en cause aussi bien les amateurs que les professionnels à tous les niveaux de l'information, du divertissement et de la culture : des directeurs aux marchands de journaux, en passant par les rédacteurs en chef, les chefs de service, les secrétaires de rédactions, les rédacteurs, les reporters, les photographes, les dessinateurs, les correspondants, qu'ils soient salariés, pigistes, ou bénévoles ; des éditeurs aux bibliothécaires, en passant par les auteurs, les directeurs de collection, les directeurs littéraires, voire les chefs de fabrication, les distributeurs et les libraires ; des producteurs aux diffuseurs, en passant par les réalisateurs, les preneurs de son, les cadreurs et les monteurs.

Toutes ces personnes, et bien d'autres qu'il serait fastidieux de recenser, par le simple fait qu'elles délivrent leurs informations et leurs idées à des tiers, s'aventurent dans la jungle des lois exactement comme Monsieur Jourdain faisait de la prose. Cela ne signifie pas seulement qu'elles courent constamment des dangers ignorés, mais également qu'elles pourraient bénéficier d'avantages méconnus.

En voici une preuve. Quelques années après l'épisode esquissé ci-dessus, le même journaliste eut la surprise de reconnaître l'un de ses propres articles, réédité en anglais par un magazine américain. Renseignements pris auprès de l'administration du grand hebdomadaire français dont il était alors l'employé, il apparut qu'un accord de reproduction avait été conclu entre les deux publications sans que personne ait seulement songé à en aviser les rédacteurs concernés.

Cette fois, l'affaire s'arrangea à l'amiable. Il suffit d'appeler courtoisement l'attention de la direction sur la législation française en vigueur pour qu'il devienne de règle, avant d'autoriser la traduction de chaque article, de consulter son auteur, comme de lui verser des droits après toute cession de ce genre. A notre connaissance, tous les collaborateurs de la publication en question continuent, depuis cette date, à percevoir de confortables redevances périodiques.

Entre nos deux histoires, une seule différence : avec les années et l'expérience, le journaliste en question avait acquis un minimum de sensibilité juridique. Mais hâtons-nous de bien nous entendre sur le sens de ces derniers mots apparemment contradictoires : l'auteur du présent guide ne prétend nullement se poser en expert et avoue sans honte ne détenir ni doctorat, ni licence, ni la plus petite capacité en droit ; il confesse même n'avoir jamais suivi d'autre enseignement juridique que les rudiments jadis inculqués par ses maîtres au Centre de formation des journalistes.

Cette sensibilité vient donc simplement du fait que les études, comme la pratique du journalisme, développent d'autres aptitudes : la curiosité pour tout ce qui régit la vie quotidienne, l'humilité de savoir consulter les vrais spécialistes des matières les plus ardues, l'art et la technique de tirer parti de leur science pour la rendre compréhensible au plus grand nombre.

Aussi les lecteurs ne doivent-ils s'attendre à trouver ici ni savant ouvrage juridique, susceptible de les aider à règler tout contentieux, ni même résumé du droit de la presse. Ce serait d'abord concurrence déloyale, puisqu'il existe d'excellents abrégés dans la même collection et aux mêmes éditions* ; ce serait ensuite abus de confiance, puisque de multiples juristes éminents ont publié dans d'autres collections et chez d'autres éditeurs de nombreux ouvrages plus complets et plus pertinents ; ce serait enfin escroquerie qualifiée, puisque tous les textes qui font autorité en la matière peuvent s'obtenir gratuitement ou à faible coût auprès des services officiels, et ne trouvent leurs complètes applications qu'à la lumière de jurisprudences que ne suivent que les meilleurs avocats.

Notre propos dans ce petit livre est à la fois plus modeste et plus ambitieux. Ecrit sans abuser du jargon juridique par un humble rédacteur à l'intention de confrères qui ne sont pas plus avertis que lui, il se limite à tenter de résoudre un paradoxe : celui créé par le principe théorique selon lequel *« nul n'est censé ignorer la loi »*, alors qu'en pratique nul ne saurait connaître toutes les lois.

L'entreprise est ardue, mais pas forcément téméraire. S'il peut paraître oiseux de collationner des kyrielles de textes abscons, les logiques générales qui les sous-tendent permettent d'espérer en dégager l'esprit, qui se confond le plus souvent avec le bon sens. Et cela avec d'autant plus de cohérence que cette réflexion prendra toujours appui sur des situations concrètes et précises.

Ce n'est donc nullement dans une exploration juridique

* *Guide du droit de la presse.* Editions du CFPJ, Paris, 1987.

que nous nous proposons de vous entraîner, mais à un parcours purement journalistique que nous vous invitons. C'est en faisant appel aux seules techniques du journalisme que nous passerons en revue toutes les activités journalistiques, dérivées ou voisines. Les problèmes s'y trouveront donc abordés dans l'ordre même où ils se posent en pratique.

Or, le journalisme digne de ce nom débute rarement par l'écriture. Il exige normalement une collecte préalable de l'information par voie de recherche documentaire ou d'enquête sur le terrain. Et ces deux activités sont elles-mêmes soumises à des règles de droit qu'il ne semble pas superflu de rappeler.

Reste que la rédaction proprement dite constitue une étape cruciale. C'est en écrivant ou en réalisant son œuvre que chacun engage moralement sa responsabilité, de façon d'autant plus complexe qu'il collabore presque toujours à une entreprise collective. Il faudra donc nous attarder ensuite sur les précautions requises pour tous.

Les lois ne prétendent, en fait, nullement régir la création privée. Elles s'attachent exclusivement à en contrôler la divulgation. Ce sont donc les actes de publication qui engendrent à la fois les risques et les avantages qui en sont les contreparties. Aussi terminerons-nous en rappelant les moyens de limiter les uns tout en faisant au mieux valoir les autres.

Tout au long de cet itinéraire, nous constaterons à maintes reprises que la logique n'en saute pas forcément aux yeux. Car il ne faut pas confondre le bon sens juridique avec le sens commun, que non seulement il ne recoupe pas toujours, mais que souvent il contredit. C'est ce que nous allons vérifier d'emblée en étudiant d'abord ce qui se passe - dans la solitude comme en comité de rédaction - au moment même où naît la conception d'une œuvre : quand vient l'inspiration et lorsque l'idée surgit...

CHAPITRE PREMIER

Idées, informations et mots n'appartiennent à personne

« Ces salauds m'ont piqué mon idée ! » Quel créateur courroucé n'a jamais eu ce cri du cœur, cette réaction de mauvaise humeur, en découvrant que quelqu'un d'autre venait de publier une œuvre dont lui-même avait ébauché, commencé à réaliser, voire effectivement mené à terme l'idée ? Tout auteur se sent alors profondément lésé, volé, dépossédé d'un bien qui lui semble aussi propre que sa personnalité même.

Il a tort. A y réfléchir calmement, il n'y a rien là que de parfaitement normal. Les mêmes causes produisant généralement les mêmes effets, il est tout à fait naturel que, dans des contextes voisins, des personnes différentes parviennent à des conceptions semblables.

Le parallélisme de pensée, qui ne menace toute création que par exception, devient même de règle en matière de journalisme. Deux praticiens d'une même profession, disposant de culture et d'informations analogues, y sont d'autant plus enclins qu'ils ne cherchent nullement à confectionner des trouvailles incongrues, mais au contraire des produits qui répondront le mieux possible aux attentes plus ou moins conscientes de publics comparables. Les meilleures idées, tous les gens de presse le savent, sont toujours celles qui sont le plus « dans l'air » ; c'est-à-dire... dans la tête d'autrui !

Si les soi-disant victimes de plagiats ne sont pas convaincues par cette observation, il est souhaitable qu'elles élargissent leur réflexion. D'abord, chacun doit se poser la question de savoir s'il est bien certain que, de par le vaste monde, nul – parmi des milliards d'êtres doués de raison – ne puisse avoir eu simultanément la même idée ; ensuite, il doit se demander si, depuis que le monde est monde et qu'il est peuplé de bipèdes imaginatifs, il est seulement concevable qu'il puisse subsister la moindre idée que personne n'ait jamais eue quelque part à un moment quelconque. Dans les deux cas, il demeure d'autant plus impossible de répondre catégoriquement par la négative, sans bafouer la plus élémentaire honnêteté, que ces choses paraissent à tout le moins invérifiables.

Elles échappent donc par définition aux domaines des lois, qui n'entendent jamais codifier que le réel et le réalisable. Les législateurs sont même allés plus loin, puisqu'ils ont vu, dans ce caractère proprement incontrôlable des pensées, le signe de leur tendance naturelle à se propager spontanément. Et les juristes se sont pour une fois hasardés aux frontières de la poésie en le traduisant par une jolie formule selon laquelle *« les idées sont de libre parcours... »*

C'est le résultat qui compte, et non la cause

Certains pourraient critiquer cette approche en arguant que les lois reflètent moins fidèlement l'état des faits que le fait des Etats, c'est-à-dire les volontés de leurs dirigeants. Mais qu'en disent nos conquérants modernes, les hommes politiques ? Ils prônent justement en toutes occasions, comme inhérente aux droits de l'homme, « la libre circulation des idées... »

De là vient qu'aucun régime politique ni juridique au monde ne garantit jamais nul droit de propriété directe sur les détours intangibles et incorporels de l'imagination. Les idées ont partout et toujours été réputées appartenir collectivement à tout le monde. Et donc, à personne en particulier.

Cette idée sur les idées, malgré son bon sens, a de quoi choquer le sens commun. Tout créateur se croyant pillé ne manquera jamais de plaider que ses idées à lui n'étaient pas « tout à fait pareilles » à celles qui les ont précédées. Et il s'inquiétera toujours de savoir, dans ces conditions, comment sauvegarder les œuvres qui en sont issues.

En protégeant le résultat plutôt que la cause première, répliquent les juristes. A défaut de vouloir et de pouvoir privatiser les idées, il reste possible d'en rendre personnels les moyens de mise en œuvre. Ainsi, l'inventeur qui aura conçu quelque nouveau procédé, faute de pouvoir revendiquer l'exclusivité de sa découverte, sera-t-il fondé à en breveter la description sous forme de label, de brochure ou de plan.

Rassurez-vous, nous aurons si fréquemment à revenir sur cette notion subtile qu'elle finira par nous sembler familière. C'est elle qui nous interdit de puiser sans frein dans notre documentation, tout en nous autorisant à l'exploiter intégralement par la technique de récriture qualifiée par les professionnels de « démarquage ». C'est elle aussi qui nous permettra de tirer de nos travaux des fruits inespérés.

Forme et contenu se confondent, mais...

Dans la pratique de la communication, la forme de l'œuvre se confond avec celle de son contenu. Pour le journaliste et l'écrivain, cette forme se manifeste par l'agencement des mots, tout comme par celui des sons pour le musicien et l'homme de radio, celui des images pour le cinéaste, le photographe ou le peintre. Une telle abstraction nous oblige à lever sur le champ quelques risques de malentendus.

En premier lieu, la forme littéraire ou artistique d'une œuvre reste un pur concept intellectuel qui ne saurait s'assimiler au support matériel qui lui est conféré. De même que le peintre conserve indéfiniment des droits de propriété immatérielle sur ses tableaux, même s'il en a définitivement vendu les toiles, un journaliste demeure perpétuellement auteur de son texte, même s'il en a aliéné le manuscrit et cédé le droit de reproduction. L'objet intellectuel est éternellement distinct de tout objet matériel, lequel ne peut jamais que lui prêter une apparence provisoire.

En second lieu, la forme littéraire ou artistique reste distincte de cet autre concept intellectuel qu'est l'information. Cette dernière, traitant un réel théoriquement accessible à tous et qu'il semble d'intérêt collectif de partager, ne peut pas non plus être tenue pour le bien privatif de quiconque. Aussi le législateur considère-t-il qu'elle relève du domaine public. Cela a de quoi choquer les journalistes, qui savent combien la découverte des nouvelles peut coûter d'efforts et d'argent. Mais la jurisprudence confirme que les hommes et les entreprises de presse sont suffisamment protégés puisqu'ils gardent toujours la possibilité de dénoncer, comme un acte commercial de concurrence déloyale, le détournement de toute information avant qu'elle n'ait été pour la première fois divulguée par celui qui l'a trouvée. Et, de fait, l'exercice du journalisme deviendrait difficile, sinon impossible, si toute nouvelle demeurait ensuite limitée dans sa reproduction.

En troisième lieu, la forme littéraire ou artistique ne reste qu'indirectement liée aux mots qui contribuent à l'engendrer ou la définissent. Patrimoines communs aux peuples qui les inventent et en usent collectivement, les langues ne peuvent demeurer l'apanage d'individus. Aussi les termes, vocables et locutions qui les composent sont-ils également considérés comme inclus dans le domaine public.

Les seuls mots et formes protégés

La question peut pourtant prêter à litige. D'abord, parce que s'il est clair que le mot préexistant forgé par tout un peuple ne saurait être revendiqué comme son bien propre par aucune personne, il n'en va plus de même lorsque le mot en question a été nouvellement créé de toutes pièces par un auteur particulier. Ensuite, parce que le mot n'est pas seulement un véhicule d'informations et d'idées, mais constitue une forme, ne serait-ce que graphique, à lui tout seul.

Ce problème est tellement important pour les activités industrielles et commerciales que les législateurs ont ménagé une exception en faveur des marques, labels et logos. Ces mots ou groupes de mots peuvent être protégés. Ils le sont habituellement après leur enregistrement, comme les brevets, auprès de l'Institut national de la propriété industrielle.

Mais le dépôt officiel n'a lui-même de valeur qu'avec des restrictions très contraignantes. Il faut d'abord que la marque présente, tant par son étymologie que par sa figuration graphique, un appréciable caractère d'originalité ; il faut ensuite que son champ d'application soit clairement défini par son inclusion dans une ou plusieurs catégories préétablies, donnant chacune matière à paiement d'une redevance distincte ; il faut enfin que son exploitation soit effectivement entreprise, pour que toute usurpation par des tiers constitue à la fois une contrefaçon et un préjudice commercial.

Sous ces réserves, nul ne peut s'arroger le bénéfice exclusif d'un terme et ce qui précède justifie donc l'ahurissante affirmation du titre de ce chapitre : les idées, les informations, les mots n'appartiennent jamais à personne, puisqu'ils appartiennent à tout le monde ! Voyons donc quelles en sont les conséquences, agréables ou pénibles, dans la pratique de la création comme dans celle de l'information.

Puisque les idées n'appartiennent à personne, nous n'avons guère à redouter de revendication d'antériorité à l'encontre des nôtres. Nous ne sommes même pas forcés de nous gêner pour emprunter impudemment celles des voisins. Par chance, le fait qu'un journal ait abordé un sujet ne nous empêche pas plus de le traiter dans une autre publication que le fait qu'un thème de fable, de peinture, ou d'opéra ait naguère inspiré un artiste n'interdit à ses successeurs de reprendre ce thème.

Méfiez-vous des contrefaçons

Mais cette heureuse liberté n'est heureusement pas sans limites. Outre la coquetterie intellectuelle et la conscience professionnelle, tout un arsenal de lois nous dissuade de « *faire jamais de notre imitation un esclavage* ». D'excessives ressemblances de forme nous exposent, par exemple, à être taxés de contrefaçon, cependant que d'anormales concomitances peuvent nous faire accuser de concurrence déloyale.

Dans tous les cas « d'abus de cette liberté », c'est aux tribunaux qu'il revient de trancher. Leurs critères d'appréciation sont toujours les mêmes : ils s'attachent d'une part à présumer s'il existait une intention délibérée de nuire à autrui ; ils cherchent ensuite à déterminer si l'œuvre nouvelle manifeste des efforts d'originalité suffisants pour la rendre différente. En ce sens, les juges peuvent être considérés comme servant la création.

Mais, l'originalité n'est pas non plus un concept simple à cerner. Elle ne peut en effet nullement s'évaluer par la nouveauté des informations rapportées et elle reste difficile à estimer par les néologismes employés. Elle se reconnaît donc à grand peine et seulement dans la mesure où la manière d'agencer les informations et les mots de l'œuvre incriminée paraît inédite.

Les magistrats se trouvent ainsi confrontés à la notion d'« angle » d'un message. Celle-ci est tellement peu évidente qu'elle ne se maîtrise qu'au terme d'une longue pratique ; c'est même pourquoi elle départage nettement l'intuition des amateurs de l'application des professionnels de la communication. Il nous sera donc indispensable d'y revenir plus longuement au cours des prochains chapitres.

Dès maintenant, soulignons toutefois qu'elle est aussi peu séparable de la création journalistique que de l'éventuel jugement porté sur celle-ci. Un professionnel chevronné se distingue, en effet, justement parce qu'il ne propose jamais aucun sujet sans l'assortir de la vision qu'il suggère d'en dégager.

Il n'évoque pas ce dont il veut parler sans préciser aussitôt ce qu'il envisage d'en dire de neuf.

Ce travail de définition, qui se fait en général de manière collective dans les rédactions, engage les plus lourdes responsabilités juridiques de la presse. En choisissant l'approche et l'éclairage selon lequel doivent être traités les sujets, les journalistes ne déterminent pas seulement la future forme littéraire des articles ; ils orientent du même coup la sélection des informations qu'il faudra rechercher, leur présentation à venir, et donc le ton adapté à leur rédaction. S'ils prévoient d'accomplir ainsi un travail de critique à l'égard de personnes ou d'institutions, ils sèment une graine d'où pourront germer bien des discordes ultérieures.

Sans la réalisation, l'idée ne serait que fumée

Il n'en résulte évidemment pas qu'il faille s'interdire, dès le départ, d'évoquer aucune personne ni institution, ou s'obliger *a priori* de ne les aborder que sous des jours flatteurs. Mais, cela contraint à ne le faire qu'avec une honnêteté intellectuelle et une rigueur professionnelle suffisantes pour justifier *a posteriori* la pertinence de l'angle choisi. En cas de contestation, les magistrats se contenteront généralement de rechercher l'absence d'intention de porter préjudice à des tiers, et cela d'autant plus volontiers que les journalistes se révèleront mieux en mesure de produire des preuves - même non publiées - des assertions qu'ils ont formulées, au nom du principe selon lequel rien ne doit entraver la libre circulation des mots, des informations et des idées.

Cette liberté n'entraîne au départ qu'une seule conséquence apparemment très fâcheuse : puisque nos idées ne nous appartiennent jamais en propre, il n'existe pour nous aucun moyen de les protéger à leur naissance. Nous ne pouvons soumettre à des formalités de dépôt que les manuscrits qui ont la forme sous laquelle nous les avons ultérieurement exprimés ; encore faut-il nous souvenir que nous ne commençons à en devenir effectivement propriétaires qu'à l'instant où nous les diffusons en vue de leur exploitation.

Ne vous hâtez pas, néanmoins, d'en tirer des conclusions pessimistes. Dans la pratique rapide et collégiale du journalisme, les avantages de la latitude de création l'emportent, en effet, largement sur les inconvénients. Elle épargne d'oiseuses polémiques, au sein ou à l'extérieur des équipes de rédaction, pour disputer de qui au juste a eu l'idée de quoi, où, quand, comment et pourquoi ; elle met l'accent sur le plus important : la réalisation, sans laquelle l'idée ne serait jamais que fumée...

En la matière, la philosophie du droit se révèle donc favorable à l'action. Mais elle ne dispense pas pour autant de réflexion. Nous allons voir qu'elle exige au contraire, de la part de l'enquêteur ou du reporter qui se met au travail, un maximum de précautions.

CHAPITRE II

Ne dépassez pas les bornes de la chasse aux nouvelles

La naissance d'un projet d'article ressemble toujours à l'ouverture d'une chasse. Le sujet en est le gibier. Et la future destination culinaire doit orienter l'angle du tir.

Mais il n'est nul besoin de permis à ce sport. Ce qui revient à souligner que la quête de l'information ne requiert nullement que l'enquêteur dispose d'une carte de presse. Les amateurs ont donc souvent tort de surestimer ce simple signe extérieur de professionnalité.

En fait, la nature juridique de la carte de presse reste trop méconnue. Sur la base de triples attestations d'activités, de revenus et de probité, elle est délivrée - et renouvelable annuellement - par une commission paritaire que les législateurs ont tenu à instituer sous un régime strictement privé. Cela indique clairement qu'elle n'est remise aux professionnels, salariés ou pigistes, que par d'autres professionnels, représentant à égalité les organisations d'employeurs et d'employés, dont les mandats provisoires n'ont aucun titre public.

Aussi la détention enviée d'une carte de presse n'entraîne-t-elle aucun passe-droit systématique. C'est par pure ignorance que certains contrôleurs de salles de spectacles, de foires ou d'expositions concèdent parfois des entrées gratuites à ceux qui la présentent. Et c'est par un récent souci de leurs relations publiques autant que par une tolérance traditionnelle que les aéroports et les chemins de fer français l'acceptent comme titre gracieux d'accès aux quais.

Le seul pouvoir effectivement attaché à sa jouissance est celui de... solliciter d'autres cartes ! Elle permet en particulier de demander aux associations de critiques les précieuses « cartes vertes » normalement exigées pour entrer sans payer dans les salles de spectacle. Et, pour prendre un autre exemple, elle autorise à réclamer aux instances préfectorales les coupe-files et brassards de presse nécessaires pour obtenir théoriquement l'aide des forces de police qui n'assurent, de toute façon, l'accès prioritaire aux stations de taxis ou la circulation au sein des manifestations publiques que dans les limites compatibles avec leurs autres missions d'ordre.

A ces quelques détails près, la carte de presse ne joue guère de rôle dans l'exercice du métier. Nous verrons notamment qu'elle n'est même pas demandée pour justifier l'octroi des déductions fiscales accordées aux journalistes. Plus généralement, les meilleurs reporters et enquêteurs peuvent témoigner qu'ils n'ont jamais eu à montrer la leur, tout simplement parce que nul ne la leur a jamais réclamée ; et qu'ils n'ont pas davantage éprouvé le besoin d'exhiber cet honorable document, qui n'est ni indispensable, ni suffisant, pour traquer l'information.

Dans ces conditions, il semble complètement absurde que tant d'amateurs s'acharnent à se procurer ou à confectionner de fausses cartes de presse. Ils ne peuvent en escompter aucun avantage légitime. Et ils risquent d'être inculpés non seulement d'infraction aux dispositions du Code du travail, mais de contrefaçon ou d'abus de confiance.

Ces attitudes ne se comprennent qu'à la lumière du manque d'assurance de beaucoup de ceux qui ne se sentent pas officiellement mandatés par quelque publication connue et reconnue. Il s'agit là d'un problème réel, mais différent. Car tout collaborateur occasionnel d'une entreprise représente juridiquement celle-ci à partir du moment où il en a reçu commande d'un travail, alors qu'aucun salarié d'aucune publication ne se trouve déchargé des responsabilités personnelles qu'il prend sur le terrain.

L'exclusivité est due à l'employeur...

A vrai dire, le fait d'être employé d'une entreprise de presse, loin de procurer des droits supplémentaires, engendre plutôt des obligations spécifiques. Qu'il soit écrit ou non, tout contrat de travail implique en effet un minimum de loyauté entre les deux parties. C'est pourquoi les enquêteurs et reporters appointés par une publication s'engagent implicitement à ne pas accomplir simultanément le même travail pour une autre publication concurrente.

Cette exclusivité souffre, il est vrai, d'assez larges dérogations. D'abord, tout journaliste peut éventuellement travailler ailleurs, pour peu qu'il en obtienne l'autorisation écrite ; ensuite, la notion de concurrence entre publications demeure généralement si sujette à caution qu'il peut le plus souvent se dispenser de cette formalité ; de toute façon, la possibilité qui lui est offerte de ne pas signer son travail de son nom rend le contrôle de ses activités largement aléatoire. Cependant, si le journaliste ne peut être sérieusement empêché de travailler pour qui bon lui semble, il ne jouit en cela que d'une liberté très relative. En théorie comme en pratique, il n'en reste pas moins contraint de travailler en priorité pour son employeur d'origine. Tout contrat de travail suppose en effet l'exécution disciplinée des tâches qui lui sont assignées par ses supérieurs hiérarchiques. Alors qu'il n'est jamais en mesure d'imposer à sa rédaction les sujets et les angles dont il a personnellement eu l'idée, le journaliste payé au mois se trouve donc théoriquement forcé de réaliser les enquêtes, interviews ou reportages qui lui sont ordonnés par des tiers.

Remarquons à ce sujet que la situation des collaborateurs extérieurs de la rédaction n'est juridiquement pas différente de celle des salariés. Qu'ils soient réguliers ou non, mandatés par écrit ou verbalement, les pigistes de presse sont réputés nouer un contrat de travail avec des publications à partir du moment où ils reçoivent de leurs responsables des missions qu'ils acceptent. Jouissant des mêmes droits concernant les rémunérations, la couverture sociale et les congés payés – voire, dans les cas de collaborations régulièrement poursuivies pendant au moins trois mois, les indemnités de licenciement et les allocations complémentaires de chômage – il est naturel qu'ils soient soumis aux mêmes astreintes que les confrères mensualisés.

... mais pas l'obéissance aveugle !

Mais les reporters et enquêteurs, qu'ils soient pigistes ou salariés, exercent une profession intellectuelle. Aussi disposent-ils normalement de plusieurs moyens juridiques de se dérober aux exigences de leurs employeurs. Ne serait-ce que partiellement.

Le statut particulier des journalistes leur reconnaît d'abord un droit moral très spécifique. Ils peuvent quitter une publication en revendiquant les mêmes avantages que s'ils en étaient licenciés, notamment pour peu que l'orientation idéologique du journal ait changé de manière à leur devenir insupportable et à les pousser à faire jouer une disposition qualifiée de « *clause de conscience* ». Il en découle logiquement qu'ils sont en mesure de décliner toute mission qu'ils estiment moralement incompatible avec l'orientation d'origine de la publication, sans que leur refus puisse être considéré comme une faute professionnelle.

Plus largement, comme il n'existe jamais d'obligations de résultats, aucun employé n'est tenu de réussir dans l'accomplissement d'aucun travail ; il lui suffit de toujours déployer honnêtement tous ses efforts en ce sens. Un journaliste garde ainsi la ressource de revenir bredouille d'un reportage ou d'une enquête qu'il a accepté d'effectuer. Dans l'hypothèse d'un désaccord, c'est à son employeur que reviendra éventuellement la rude charge d'établir qu'il a commis une faute professionnelle en ne fournissant pas tous les efforts attendus.

Enfin et surtout, nul ne peut être forcé à des actes répréhensibles. Aucun mandataire n'est fondé à se retrancher derrière les instructions, même écrites, qu'il aurait reçues de ses supérieurs hiérarchiques pour justifier une infraction commise dans l'accomplissement de ses tâches. Sa responsabilité personnelle reste toujours impliquée.

C'est dans cette même perspective des rapports avec les employeurs qu'il faut rappeler que ce qui est beaucoup plus nécessaire qu'un faux permis de chasse, c'est de bien maîtriser ses armes. Elles se résument presque toujours à un carnet de notes et à un crayon, s'étendent souvent à une bande magnétique ou à une pellicule, voire parfois à une caméra ou à une photocopieuse. Quel que soit l'instrument, il n'est jamais anodin de savoir qui en est le vrai propriétaire.

Si les informations n'appartiennent à personne, nous avons en effet déjà signalé qu'il n'en va pas du tout de même des supports qui sont destinés à les recueillir. Payés par le journal, le papier, les cassettes, les films peuvent être très légitimement réclamés en retour. Ceux auxquels ces matériels ont été confiés se trouveront bel et bien mis en demeure par le droit commun de les rétrocéder.

Leurs utilisateurs provisoires ne seront pas pour autant dépossédés des fruits de leurs travaux. Comme nous l'avons antérieurement remarqué, les lois séparent nettement les objets matériels des éléments immatériels qu'ils permettent de recueillir. Aussi les textes, sons et images rapportés restent-ils des biens propres à leurs auteurs.

Nous aurons à revenir sur les conditions dans lesquelles un journaliste, même rémunéré au mois, peut limiter, voire interdire, l'exploitation de son travail. Contentons-nous pour l'instant de relever que le fait d'utiliser son matériel personnel peut présenter des avantages. Cela coupe court du même coup à certains risques de contestations ultérieures avec l'employeur.

Les délais de consultation des archives

Une fois ses armes bien choisies, le chasseur de nouvelles a généralement intérêt à connaître d'avance le mieux possible ses futures proies. Pour cela, pas de secret, il lui faut étudier ce qu'en ont rapporté ses prédécesseurs. C'est-à-dire réunir et examiner une documentation sérieuse.

Un bon journaliste garde généralement la sienne à jour. Il ne fait que la compléter en recourant éventuellement aux archives de sa publication. Et, s'il s'attaque à un sujet ou à un angle résolument nouveaux pour lui, il s'adresse à des sources de documentation extérieures.

A l'heure actuelle, toutes les archives ne sont pas pareillement disponibles. Les lois qui ont récemment garanti l'accès de tous les citoyens à l'immense majorité des documents qui les concernent personnellement ont également précisé les limites de consultation de ceux évoquant des tiers. Elles sont extrêmement variables non seulement par les conditions, mais par les délais requis.

De façon générale, les textes judiciaires contemporains restent confidentiels. Seuls, les attendus des jugements font l'objet d'une publicité systématique et les pièces des dossiers de justice demeurent normalement couvertes par le secret de l'instruction. Même les extraits de casier judiciaire ne peuvent être délivrés qu'en partie, et aux intéressés eux-mêmes.

Les autres documents officiels ne sont livrés à la curiosité des chercheurs qu'à des termes historiques proportionnés à la nature des informations sur des tiers qu'ils recèlent. Ceux qui comportent des renseignements individuels de caractère médical ne sont, en particulier, compulsables qu'à échéance de cent cinquante ans après la naissance des personnes citées ; les dossiers d'emplois exigent encore cent vingt années ; les archives juridictionnelles et d'état-civil, comme les éléments d'enquêtes statistiques, réclament un siècle ; celles des services du président de la République, du Premier ministre, de la Défense nationale, de la sûreté de l'Etat, ou qui touchent à la vie privée sont soumises à un moratoire de soixante ans ; la plupart des autres éléments ne sont réservés que pour une durée maximale de trente ans.

En outre, certains organismes publics subordonnent l'ouverture de leurs archives à des justifications de qualité ou de destination. La production d'une lettre sur papier à en-tête suffit généralement à les satisfaire aussi bien que celle d'une carte de presse. A défaut ou en cas de refus, il subsiste toujours des voies de recours gracieux auprès des autorités de tutelle.

Quelques entreprises privées conditionnent leurs services au versement de droits d'entrées. C'est rarement illégal. Et c'est d'autant moins gênant que la rémunération de l'aide qu'elles apportent ne leur assure pas automatiquement un titre de propriété sur les documents qu'elles communiquent.

Se documenter n'est pas voler

Dans tous les cas, même quand la consultation de dossiers est libre, voire encouragée, un minimum de prudence reste de rigueur. Si les informations n'appartiennent à personne, nous avons rappelé qu'il en va rarement de même des documents qui les contiennent. Les coupures de presse, brochures, livres, disques, films ou bandes magnétiques accessibles ont donc au contraire le plus souvent des propriétaires.

Le risque apparaît ainsi clairement. S'il est parfaitement licite de consulter, de se faire offrir, d'emprunter ou d'acheter tous documents à leurs légitimes propriétaires, il est périlleux de les subtiliser sans autorisation, voire de les accepter de tiers détenteurs sans titre. Il ne s'agit pas là de délits de presse spécifiques, mais de vulgaires vols qualifiés et de crimes de recel, réprimés en tant que tels par le Code pénal.

Ne supposez pas que nous soulevons en cette matière de futiles arguties juridiques. Il est réellement advenu à l'un des meilleurs enquêteurs du journalisme français contemporain de perdre sa place dans un quotidien du soir, pour avoir dérobé une note confidentielle sur un bureau, à la faveur d'une absence probablement volontaire de son occupant. Notez bien qu'en l'occurrence notre confrère ne s'était pas entendu reprocher d'avoir pris connaissance du document – ce qui aurait donné lieu à d'amples contestations – mais simplement d'avoir emporté, sans autorisation, une simple feuille de papier, dénuée de toute valeur commerciale, mais qui ne lui appartenait pas.

Sans même aller jusque-là, l'actuelle extension de la photocopie comporte davantage de périls que ses usagers ne le croient. Les lois protègent en effet la forme graphique de tous les textes publiés ; elles n'en tolèrent la reproduction que pour un usage privé. Le simple fait de contretyper un document dans l'intention de le rééditer sans l'autorisation des propriétaires de l'original vous rend donc passible des peines sanctionnant tout acte de contrefaçon.

Là non plus, ne croyez pas que nous coupons les cheveux en quatre. Le très distingué Centre national de la recherche scientifique français en a fait l'expérience lorsqu'il a cru - ayant mission de diffuser de l'information parmi les chercheurs - qu'il était autorisé à livrer à quiconque le demandait des photocopies de documents tirés de ses archives. En la circonstance, il s'est vu accusé d'exercice déloyal de la profession d'éditeur.

Ce qui précède suggère plusieurs conclusions. D'abord, il est en théorie indispensable de bien s'assurer que quiconque remet un document en est bien le propriétaire légal. Ensuite, dans la mesure même où le point précédent est généralement difficile à vérifier, il est en pratique toujours préférable d'acheter contre reçu tout document, dans la mesure où la simple attestation d'une telle transaction commerciale confère automatiquement la présomption d'être « preneur de bonne foi » à celui qui se le procure.

Mais il en ressort surtout une règle générale, qui revient à rappeler que la paresse est souvent mauvaise conseillère. Souvenez-vous donc que prendre personnellement des notes préserve le plus souvent de mauvaises surprises. Leur seul inconvénient, à vrai dire, tient au fait qu'elles n'auront guère de valeur probante dans le cadre d'éventuelles poursuites.

Vous êtes libres d'enregistrer tout ce que vous voulez à partir des documents auxquels vous avez accès. Les informations qui s'y trouvent, ne l'oubliez pas, ne vous appartiennent pas moins qu'aux auteurs d'origine. Et nous verrons que vous pourrez même en rapporter des extraits dans les limites du droit de citation.

Ainsi rassurés, nous pouvons quitter l'étape documentaire pour passer au reportage. Là, il ne vous suffira malheureusement pas de respecter une stricte distinction entre lieux publics et privés. Encore que ce ne soit déjà pas toujours aussi facile qu'il serait souhaitable.

De bonnes notes valent mieux qu'un long enregistrement

A priori, vous pouvez observer tout ce que bon vous semblera dans les lieux publics. Les difficultés ne risquent de commencer que lorsque vous entreprenez d'enregistrer vos observations. Si nul ne s'offusque généralement de vous voir prendre des notes, les réactions se révèlent parfois plus négatives lorsque vous brandissez un magnétophone, un appareil photographique ou une caméra.

Sachez que le caractère apparemment public d'un lieu ne vous garantit pas automatiquement le droit d'y travailler. N'importe quel agent de police vous rappelera que même la simple photographie de rues désertes d'une ville peut être soumise à des conditions énoncées par arrêté municipal. C'est ainsi que la plupart des règlements urbains subordonnent actuellement à autorisation les tournages réalisés avec caméras sur pied, alors qu'ils tolèrent généralement les films pris « à la sauvette » avec caméras à l'épaule.

Certains lieux publics sont même couramment assimilés à des propriétés privées. La majorité des monuments, en particulier, ne sont ouverts aux tournages cinématographiques que sous réserve de permissions officielles préalables, voire du versement de substantielles « locations de lieux ». De même, beaucoup d'administrations exigent d'être sollicitées par les voies hiérarchiques avant d'autoriser la pénétration dans leurs locaux : c'est notamment le cas dans les écoles, les hôpitaux, les commissariats de police.

Les limitations peuvent même être très sévères. D'obsolètes impératifs de sécurité restreignent par exemple le droit de tourner ou de photographier dans l'enceinte du réseau métropolitain de Paris. Il en va de même dans la plupart des musées, pour des raisons plus manifestement commerciales.

Rien d'étonnant, dans ces conditions, à ce que les propriétés privées soient encore plus jalousement défendues. Là, ce ne sont plus seulement les enre-

gistrements, mais les observations elles-mêmes qui ne sont admises qu'avec le consentement des propriétaires. Entrer sans autorisation vous expose à être accusé d'*effraction*, cependant qu'épier de l'extérieur vous incrimine d'*atteinte à la vie privée*.
Bien sûr, ces multiples interdits ne doivent pas décourager. Le prestige et la puissance des médias facilitent généralement la délivrance des permissions nécessaires. Mais, pour le reportage comme pour la documentation, il n'est pas inutile de se souvenir que la conclusion d'une bonne transaction commerciale reste le meilleur moyen de mettre les enquêteurs à l'abri de toute revendication ultérieure.

Chacun reste propriétaire de son image

Le cas le plus épineux concerne évidemment la photographie ou le filmage des personnages. Aux yeux de la loi, il est tout juste admis qu'une personnalité publique s'affiche par vocation en tout lieu public, et qu'une personne privée fasse de même en s'exhibant délibérément au cours d'une manifestation publique. Dans tous les autres cas, le sujet public ou privé reste aussi strictement propriétaire de son image que de ses autres biens corporels ou incorporels.

Il y aurait des centaines de cas à raconter pour illustrer ce problème. Que l'on nous permette de nous contenter d'apporter un témoignage personnel. Pour avoir publié un superbe reportage d'un excellent photographe sur une station balnéaire à la mode voilà vingt ans, l'auteur de ce guide a fait condamner le magazine, dont il était rédacteur en chef, à des dommages et intérêts, sur la plainte d'un président-directeur général dont l'apparition en compagnie d'une secrétaire bronzée, dans un recoin de cliché, avait provoqué le divorce...

Là encore et plus qu'ailleurs, il faut prendre un maximum de précautions. Même une autorisation orale en présence de témoins ne vaut jamais une décharge dûment signée, surtout lorsqu'il s'agit de photographier des enfants. Une honnête rémunération des modèles, même non professionnels, si regrettable que semble cette pratique, reste la meilleure des assurances.

Nous glissons du même coup des écueils du reportage à ceux de l'interview. Dans le cadre d'une enquête sur le terrain, ces obstacles sont heureu-

sement bien moindres qu'on pourrait le craindre. Tout simplement parce qu'aucune loi ne saurait s'opposer à ce que quelqu'un recueille les paroles qu'un tiers prononce en sa présence, sans y être contraint, même s'il subsiste quelques réserves à formuler sur ce principe.

Une seule difficulté - rarissime - concerne la nature même des informations. Il s'agit de celles qui touchent à la Défense nationale. En considération de la prééminence de l'intérêt collectif sur l'intérêt privé, il reste considéré comme un délit de chercher à les arracher, même à des intermédiaires libres, adultes et consentants ; le journaliste qui s'y aventure risque donc toujours de se trouver inculpé d'*atteinte à la sûreté de l'Etat*.

Plus généralement, les fonctions des interlocuteurs peuvent parfois entraver leur liberté d'expression. Le droit affecte, en effet, à beaucoup d'actes de nombreux responsables les obligations d'un secret professionnel dont nous verrons que l'équivalent est dénié aux journalistes. Outre les militaires, c'est en particulier le cas des médecins, des prêtres et des juges d'instruction.

Mais, c'est par un usage abusif que ce principe de discrétion se trouve de plus en plus souvent élargi au prétendu *« devoir de réserve »* de presque tous les fonctionnaires des grands corps de l'Etat. S'il est à la rigueur admissible que ceux-ci ne puissent parler ès qualité qu'après autorisation hiérarchique, il est difficilement soutenable que leurs paroles elles-mêmes demeurent sous contrôle. Sous prétexte d'accroître leurs devoirs, cela limite leurs droits à la liberté d'expression et aboutit paradoxalement à faire des agents supérieurs de la nation des citoyens subalternes.

Tous les « coups » ne sont pas permis

S'ils veulent voir respectées les attributions de leurs interlocuteurs, les hommes de presse doivent cependant donner l'exemple et commencer par respecter les leurs. *« Un journaliste digne de ce nom s'interdit d'invoquer un titre ou une qualité imaginaires, d'user de moyens déloyaux, pour obtenir une information ou surprendre la bonne foi de quiconque. »* Cette vertueuse prescription de la charte déontologique - adoptée par les professionnels français il y a plus d'un demi-siècle - semble bien oubliée ou méprisée aujourd'hui par les amateurs de *« coups »* et de *« scoops »* qui s'amusent à se déguiser en faux émirs arabes ou à se faire passer pour des militants dans le but de

s'introduire dans tel parti de gauche ou dans l'entourage de tel dirigeant de droite.

C'est probablement là un fort mauvais signe des temps. Car, à moins d'admettre que toute fin justifie n'importe quel moyen, il n'est pas acceptable que la mission d'informer légitime tout procédé d'obtention de l'information. En l'absence de loi spécifique, l'existence de textes condamnant les abus de confiance, escroqueries et autres délits malins devrait suffire à le rappeler quelque jour à ceux qui veulent l'ignorer.

Une autre considération devrait calmer les ardeurs des provocateurs. C'est que le fait que des propos ayant été effectivement tenus en leur présence, voire enregistrés sur bande magnétique, n'entraîne jamais l'autorisation d'en faire état par la suite. Le seul moyen difficilement récusable de se procurer une telle garantie demeure d'en faire calligraphier, puis signer les termes sur une attestation comportant la preuve de l'identité de l'auteur - de préférence contre versement d'argent !

Car les plus grands périls de la presse ne s'affrontent pas sur le terrain. Quels que soient les personnes interrogées, les lieux visités, les documents analysés, quels que soient les propos ou les images enregistrés, les risques que font courir leurs collectes sont moindres que ceux encourus du fait de leur usage. C'est en rentrant à sa rédaction ou en regagnant son domicile que le bon journaliste doit se préparer à tourner sept fois sa langue dans sa bouche, sept fois sa plume dans son encrier, sept fois sa cassette dans son magnétophone, sept fois sa pellicule dans son révélateur, sept fois son programme dans l'ordinateur, qui n'assumera jamais de responsabilités à sa place...

CHAPITRE III

Qu'en termes choisis ces choses-là soient dites

Gibecières bourrées grâce à nos talents, nous voici de retour. L'heure est donc venue d'accommoder au mieux les informations que nous avons rapportées. Cela mérite que nous prenions le temps de bien y réfléchir.

D'abord, il serait étonnant que tous les faits que nous avons relevés sur le terrain aillent dans le sens des idées *a priori* avec lesquelles nous étions partis les pourchasser. L'honnête respect de la vérité nous commande alors de changer plus ou moins notre angle de départ. C'est le moment le plus favorable pour veiller simultanément à rendre la communication plus efficace et le message mieux défendable.

Au sein d'une équipe de rédaction, ce recentrage résulte souvent d'une discussion plus ou moins collective. Il importe donc de garder présent à l'esprit qu'aucun argument d'autorité ne saurait prévaloir sur l'intime conviction du journaliste. Se laisser sciemment imposer par quiconque un angle rédactionnel contraire à ses observations et à ses conclusions personnelles contrevient à son droit moral ; cela présuppose une obligation de résultat, tout en engageant ses responsabilités presqu'autant que lors de son travail sur le terrain.

En fait, le degré de subordination de l'employé d'un journal ne doit jamais être exagéré. Son contrat de travail l'oblige simplement à écrire et à livrer pour publication des articles sur les sujets qui lui sont demandés. Mais, il ne lui impose de respecter ni les angles, ni les contenus, ni les formes qui lui seraient suggérés.

La solitude ne nous préserve pas pour autant de nous laisser emporter par nos préjugés et nos passions. Il ne suffit pas de procéder à un examen complet des faits et de notre conscience. Il faut aussi en dégager de claires intentions pour structurer notre discours.

A partir de là, un tri scrupuleux des informations recueillies est de rigueur. Certaines peuvent être écartées simplement parce que, si intéressantes qu'elles paraissent, elles demeurent sans rapport avec ce que nous nous proposons de démontrer ; d'autres méritent de l'être parce qu'elles ne semblent pas suffisamment sûres, recoupées et contrôlées ; d'autres, même absolument certaines et significatives, doivent l'être parce qu'elles sont impossibles à prouver sans produire des documents ou des témoignages que nous tenons à ne pas dévoiler dans l'immédiat ; d'autres, enfin, bien que parfaitement démontrables, risquent d'avoir à être étouffées simplement parce qu'elles sont de nature à porter préjudice à autrui. Dans le doute, la triste règle est de s'abstenir.

Attention, cependant, aux abus qu'induit une telle sélection. Aucune information importante et notoire ne peut être totalement éludée sous le seul prétexte qu'elle contredit l'angle retenu. Bien que ce soit rare, un tribunal peut juger des silences suspects, et certaines omissions, trop évidemment délibérées, condamnables.

Pour des raisons qui relèvent davantage de la psychologie que du droit, il faut ensuite veiller tout autant à la construction de l'œuvre. Il n'est pas défendu de mettre en valeur des éléments qui nous conviennent et de reléguer, en moins bonne place, ceux qui nous déplaisent. Mais, à l'inverse, il vaut mieux tenir compte de ce que la mise en vedette de certains éléments, que ce soit dans les titres, dans les illustrations, au début d'un texte imprimé ou en fin d'un message sonore, risque toujours de provoquer davantage de réactions.

Des mots qui pèsent lourd...

Dès lors, il reste à mesurer scrupuleusement le poids de chacun de nos mots et le choc de chacune de nos photos. Ce n'est pas facile, mais cela s'apprend avec le journalisme lui-même. Car cela suppose de se mettre à la place non pas d'un unique lecteur, auditeur ou spectateur mythique, mais de tous les récepteurs potentiels de nos messages.

Dans cette optique, plusieurs principes aussi simples que contraires à la substance même du journalisme doivent nous rester en mémoire. Le premier est qu'il est toujours moins périlleux de dire du bien que du mal de qui ou de quoi que ce soit. Le second est qu'il est toujours moins dangereux de parler des choses que des institutions ou des personnes.

Les exemples les plus représentatifs de ces sinistres règles concernent l'unique cas où il est strictement prohibé de simplement évoquer une catégorie de personnes. Il s'agit de celui des enfants mineurs suicidés, auxquels la loi interdit spécifiquement la moindre allusion, sous quelque forme que ce soit. Un œil exercé permet cependant de reconnaître parfois des transgressions de cette loi par le biais de nombreux récits brefs de troublants prétendus accidents. Il peut être regretté qu'ils dissimulent à l'opinion l'ampleur d'un phénomène que s'obstine à éclipser une sorte d'unanime conspiration sociale.

Sans aller jusqu'à pareille extrémité, la protection des mineurs justifie plus largement l'interdiction de donner toute indication permettant d'identifier personnellement ceux qui se trouvent mêlés à d'autres faits divers. C'est ainsi qu'il est en particulier défendu de désigner nommément, ou par la production de photographies, tant les enfants criminels que les mineurs victimes de viols. Il semble déjà plus discutable que restent proscrits les comptes rendus d'audiences des tribunaux spécialisés, dans la mesure où tous les juges peuvent obtenir le même résultat en prononçant des huis clos.

Dans l'intérêt des familles, les législateurs ont cependant ménagé une exception à ces dispositions. Il s'agit des mineurs en fugue, dont les noms et portraits peuvent être utilisés pour faciliter les recherches. Mais cette entorse n'est consentie que sur demande écrite des parents, tuteurs ou représentants des autorités civiles et judiciaires.

Pour ce qui est des adultes, une stipulation analogue semble tomber en désuétude. La loi continue à défendre de nommer ou de représenter les victimes de viols. Mais l'usage commence apparemment à le tolérer dans la mesure où les personnes concernées ne s'y opposent pas.

... et des photos qui choquent

Du même coup, un assez curieux distinguo juridique devient caduc. Il concernait les actes liés aux homicides, aux empoisonnements, aux coups et blessures volontaires, aux attentats à la pudeur, ainsi qu'au proxénétisme et à l'adultère, dont les images réputées choquantes restent interdites, alors que leurs relations écrites n'ont jamais pu être empêchées. La prolifération des scènes de violence dans les films d'actualité comme dans ceux de fiction paraît démoder cette anomalie. Mais il n'en faut pas moins rester prudents, car les responsables d'un célèbre magazine illustré français ont été incarcérés, il y a encore quelques années, pour avoir publié des photos de cadavres.

Sous ces réserves, tout le monde peut être nommé dans un article, une émission ou un film. Mais, pas n'importe comment. Car la mise en cause de personnes physiques ou morales suppose toujours le respect de leurs droits.

L'un des droits fondamentaux de la personne est celui du respect de son nom, que les auteurs sont souvent les premiers à revendiquer. Les inexactitudes d'orthographe dans la transcription des patronymes d'autrui, voire des raisons sociales d'organismes, même si ces erreurs sont involontaires, répandues et dénuées d'incidences désobligeantes, ne sont pas seulement des fautes professionnelles. Elles constituent également des préjudices passibles de poursuites.

Des précautions particulières doivent entourer la citation des marques et des labels. Nous verrons plus loin que le graphisme de leur présentation les protège plus nettement que les vocables qu'ils utilisent. Il est donc compréhensible que leurs propriétaires soient spécialement jaloux de l'exactitude de leur orthographe.

L'infraction la plus souvent commise à ce sujet par les journalistes semble l'omission des capitales, c'est-à-dire des lettres majuscules qui commencent systématiquement tous les labels déposés, et qui identifient souvent les marques. Il importe pourtant par exemple de ne pas confondre les célèbres fermetures *Eclair* avec les vulgaires fermetures à glissière ; le glorieux *Frigidaire* avec un quelconque réfrigérateur ; le fameux *Scotch* avec un papier collant ordinaire ; l'unique *Walkman* avec un banal baladeur. L'oublier expose au versement de légitimes dommages et intérêts.

Mais pas toujours. Sans faire de publicité rédactionnelle clandestine, rendons grâce à l'honorable marque *Ripolin*. Loin de s'offusquer de se voir dégradée en nom commun synonyme de peinture, elle s'enorgueillit même de voir pénétrer dans le dictionnaire le néologisme *ripoliner* dans le sens de laquer.

N'espérez pas toujours autant d'indulgence de la part des fabricants de médicaments. Certaines dispositions de la Sécurité sociale limitant le remboursement des spécialités pharmaceutiques qui font de la publicité de notoriété, il est advenu que la citation par voie de presse d'une marque déterminée – au lieu de son appellation chimique – suffise à entraîner le déclassement de produits. La hausse des prix de revient réels et la baisse de consommation, qui ne manquent pas d'en résulter risquent d'entraîner une demande d'énormes dommages et intérêts aux journaux irresponsablement responsables.

Ne laissez pas l'homme sans qualité

Le fait de nommer correctement est donc indispensable. Mais pas suffisant. Encore faut-il nommer complètement.

Certains corps imposent en effet aux personnes qu'ils intègrent de ne jamais laisser publier leurs noms sans y adjoindre mention de leurs appartenances. C'est, en particulier, le cas des membres de l'Académie française, des sociétaires de la Comédie-Française et, le plus généralement, celui des avocats, magistrats et docteurs en médecine. Bien que cela ne se produise plus guère, négliger de rappeler ces titres peut toujours avoir des suites.

D'une manière plus générale encore, toute inexactitude dans l'énoncé des qualités d'une personne peut justifier réclamation de rectification et de réparation. Il faut donc veiller scrupuleusement aux indications de sexe, d'âge, de nationalité et de profession. Tout en sachant que ce sont les titres et les fonctions qui donnent le plus souvent matière à contestation.

Lorsqu'il s'agit d'un sujet ayant trait à la justice, les erreurs peuvent constituer de véritables délits. Souvenez-vous donc qu'en vertu du sain principe de leur présomption d'innocence, les personnes entendues par des officiers de police judiciaire, voire par des juges d'instruction, ne sont encore que des témoins qu'il est prématuré de qualifier de suspects ; que les personnes considérées comme suspectes par les autorités ne deviennent de véritables inculpés qu'après que cette mesure leur a été officiellement signifiée par la magistrature ; que les inculpés ayant à répondre d'infractions ne relevant que des tribunaux de simple police ou correctionnels ne deviennent jamais que des prévenus ; que seuls les inculpés justiciables devant les cours d'assises peuvent être désignés par le terme dangereusement galvaudé d'accusés.

Même une fois qu'ils sont réellement condamnés, les inculpés ne doivent pas être appelés n'importe comment. Les suspects convaincus de simples délits demeurent de simples délinquants, alors que seuls les auteurs de véritables crimes légalement qualifiés comme tels sont reconnus criminels. Inversement, tenez compte de ce que tous les criminels n'ont pas forcément tué quelqu'un.

En fait, plus les délits ou crimes imputés s'aggravent, plus il importe de respecter scrupuleusement leurs qualifications exactes. C'est ainsi que les personnes effectivement accusées d'en avoir tué d'autres ne sont *a priori* inculpées que d'homicides, qui peuvent parfaitement demeurer accidentels et involontaires ; il faut qu'elles soient reconnues coupables d'homicides volontaires pour pouvoir être désignées comme meurtrières ; et seuls les meurtriers convaincus de préméditation méritent l'infâmante appellation d'assassins.

Ne pas confondre amnistie et prescription

La citation des condamnations passées n'est elle-même pas toujours sans danger. L'amnistie diffère en effet de la prescription en ce qu'elle ne se contente pas d'annuler les peines encourues par les criminels et les délinquants, mais entend littéralement les effacer. Dans ces conditions, le simple rappel de tels faits constitue en soi un délit.

Aucune erreur sur ces questions n'est donc présumée involontaire. Sur plainte des intéressés, de leurs avocats, voire du Parquet, vous risquez toujours de vous retrouver vous-même témoin, suspect, prévenu, puis délinquant condamné. Les justiciables font donc partie des personnes physiques ou morales qu'il ne faut jamais évoquer sans précautions.

Il en est bien d'autres. Le souci des relations diplomatiques autant que la bienséance commandent en tout premier lieu le maintien de lois protégeant les chefs d'Etat, de gouvernements, les ambassadeurs et plus généralement tous les représentants de puissances étrangères. Ce n'est en effet pas limiter le droit de critique que de manifester respect aux personnes et aux collectivités amies.

A l'intérieur des frontières, à tout seigneur tout honneur, continuons en rappelant qu'il subsiste dans notre droit un délit spécifique d'*offense au chef de l'Etat*. Ce n'est qu'en raison des égards témoignés à la presse par nos derniers présidents de la République que ce chef d'accusation n'est plus guère invoqué depuis quelques années -- alors qu'il peut hypocritement être soulevé par le Parquet sans aucune plainte de l'intéressé. Cette élégante attitude devrait en retour susciter plus souvent l'hommage, sinon la gratitude, des journalistes.

Les grands corps de l'Etat bénéficient, dans le même esprit, de dispositions analogues. Il existe encore, par exemple, des délits spécifiques d'*atteinte au moral des armées* et d'*outrage à la magistrature*. Même si les lois qui les instituent semblent désormais parcimonieusement appliquées, leur survivance doit inciter à la prudence et à la modération.

Les formes du respect doivent êtres respectées

Bien que généralement dénués de pouvoirs spéciaux, certains corps privés et corporations exercent un contrôle vigilant sur ce qui se publie à l'égard de leurs ressortissants. C'est particulièrement le cas d'ordres comme ceux des avocats, des médecins, voire des médaillés de la Légion d'honneur. Il ne faut jamais négliger le fait que saisir les tribunaux constitue l'une de leurs raisons d'être.

Plus largement, de multiples organismes agréés reçoivent le pouvoir d'ester en justice. C'est le cas notamment de toutes les administrations et collectivités locales, de la plupart des syndicats, de beaucoup d'associations, voire de simples amicales ou sociétés civiles. Leurs vocations et statuts justifient souvent qu'elles interviennent pour défendre tant les communautés que les individus qu'elles prétendent représenter.

L'actualité nous suggère de souligner à ce propos la vigueur de certaines dispositions particulières. Il s'agit des lois qui répriment non seulement la pratique mais l'excitation à la haine et à la discrimination raciale. Si le premier point se passe de commentaires, il n'est peut-être pas superflu de rappeler que le second prohibe toute mention de couleur, d'origine et de religion même dans le texte d'une petite annonce.

Il ne faut pas non plus négliger les susceptibilités des entreprises privées. Des notions juridiques, comme celle de préjudice commercial, renforcent leurs moyens moraux de réagir contre certaines attaques. Et elles ne manquent pas de moyens matériels pour s'assurer le concours de toutes sortes de conseils compétents.

Ces levées de boucliers de multiples groupements ne sont en fait que les extensions logiques de l'une des bases du droit : celle qui prétend défendre les libertés de tout individu. Chacun, en effet, a droit à la protection de sa personne comme de ses biens. Il est réjouissant que ce droit aille loin, très loin, le plus loin qu'il est possible, dans les limites du même droit dont jouit autrui.

Le droit de réponse va très loin

En matière de presse, le droit de la personne va si loin qu'il n'est même pas nécessaire qu'elle subisse un préjudice pour qu'il commence à s'exercer. Il suffit que quelqu'un soit clairement mis en cause de quelque façon que ce soit pour être autorisé à réagir. Il n'est nullement indispensable qu'il soit présenté sous un jour défavorable.

C'est là la particularité du *droit de réponse*. Il permet à toute personne citée nommément - ou évoquée d'une manière assez circonstanciée pour la rendre reconnaissable - de répliquer à son gré. D'anciennes lois régissent ce droit pour la presse imprimée et de nouvelles sont récemment venues l'instituer dans l'audiovisuel.

Sans entrer dans le détail, précisons que son principe se résume à faire paraître la réponse dès que possible, et dans des conditions voisines de celles de la mise en cause initiale. Pour les périodiques, il s'agit souvent d'un placard qui doit paraître sous une forme analogue et à un emplacement semblable à celui de l'article d'origine. Pour les radios et télévisions, il s'agit d'un communiqué lu à l'antenne lors d'une émission diffusée de manière comparable.

Il existe peu de restrictions à ce droit : la réponse ne doit pas trop excéder en surface ou en durée la mise en cause qui la justifie ; elle ne doit pas contenir d'informations ni de commentaires répréhensibles. Sous ces réserves, il suffit d'expédier une lettre recommandée pour en faire usage.

En théorie, ce système risque d'ouvrir la voie à toutes sortes d'abus. Il suffit que l'œuvre d'un auteur se trouve louée pour qu'il soit en droit de répondre à son éloge, et double, du même coup, l'importance de la publicité qui lui est gratuitement consentie.

En pratique, les excès sont rares. Les journalistes n'ont pas pour seule ressource d'en appeler aux tribunaux. Il leur est beaucoup plus efficace de s'interdire à l'avenir, dans leur publication, toute allusion à des importuns qui sont rapidement repérés ; c'est ainsi que l'auteur de ce guide confesse l'avoir prescrit au sujet d'un comédien, dans un hebdomadaire de télévision dont il était rédacteur en chef.

Les conséquences de ce pouvoir exorbitant du droit de réponse n'en restent pas moins considérables. Si quiconque a la possibilité de s'exprimer dès lors qu'il se trouve évoqué, il dispose également de celle de rectifier ce qui ne lui convient pas. C'est ce que l'auteur ne doit pas oublier au moment d'écrire ou de monter.

Le déclarant reste maître de ses déclarations

Les limites imposées au compte rendu des propos sont les mêmes que celles évoquées plus haut au sujet des interviews. Le fait que les déclarations rapportées aient été tenues devant témoins, ou enregistrées, n'empêche jamais celui qui les a prononcées de s'en repentir. N'en déplaise aux journalistes, souvent imbus de leurs responsabilités, même quand une transaction commerciale a été conclue, ils restent ainsi juridiquement contraints de se soumettre à toute requête de l'interviewé tenant à relire, récouter ou revoir son témoignage avant publication.

Les professionnels ont quelque excuse à manifester certaines réticences devant ce genre de formalités. Même quand il s'agit de propos recueillis et placés sous la responsabilité de leurs locuteurs, de tels contrôles témoignent pour le moins de méfiance à l'encontre de qui fait le rapport. Et l'expérience enseigne que les corrections demandées portent moins souvent sur la pertinence de l'angle ou l'exactitude des faits que sur des éléments extérieurs à l'entretien ou sur des détails de pure forme, qui ne relèvent guère de la compétence des amateurs.

Aussi convient-il de faire nettement le partage entre ce qu'il semble justifié ou inévitable de corriger et ce qui n'a pas à l'être. Il peut s'avérer indispensable de modifier des propos attribués au tiers cité, mais le discours sur celui-ci, personnellement assumé par le journaliste, ne doit être transformé que pour de très sérieuses raisons de fond, sur lesquelles nous reviendrons. Et ce qu'il dit d'autres personnes ou d'autres sujets ne doit être altéré que si lui-même le juge bon.

Dans l'hypothèse, hélas fréquemment vérifiée, où l'interviewé n'accepte pas ces bases de compromis, il ne reste qu'un seul moyen de le mettre à contribution, même malgré lui : le recours limité au droit de citation de ses déclarations et écrits publiés antérieurement. Toutefois cela suppose au préalable de bien maîtriser les grands principes de la propriété littéraire et artistique.

Les législateurs français ont en effet progressivement élaboré, au bénéfice de tous les auteurs d'œuvres de l'esprit, un régime globalement satisfaisant et, à bien des égards, très en avance sur les autres formes de droit appliquées dans notre société. Sa philosophie de base se résume à poser que toute œuvre appartient à son auteur, du seul fait de sa création par lui. Aucune propriété n'existe donc en amont, au moment de la conception sous l'insaisissable forme d'idées impossibles à protéger. La propriété ne peut être concédée qu'en aval, après l'exercice exclusivement personnel du droit à la divulgation de l'œuvre.

Encore cette concession ne peut-elle être que partielle. Car les juristes ont voulu faire découler de la création intellectuelle deux droits inégalement originaux mais clairement distincts : le droit patrimonial et le droit moral.

Le droit patrimonial et le droit moral de l'auteur

Dans une société capitaliste et fondée sur la propriété individuelle, le droit patrimonial demeure le moins déconcertant. Comme n'importe quel autre bien, il peut être cédé, en tout ou en partie, pour plus ou moins longtemps, à un tiers ; il stipule simplement que l'auteur doit obligatoirement rester associé à tous les bénéfices que toute exploitation commerciale permettra de retirer de son œuvre. Sauf dans des cas exceptionnels sur lesquels nous reviendrons, il ne peut jamais se trouver dépossédé des fruits de son travail.

La seule particularité de ce droit d'auteur patrimonial tient à ce qu'il disparaît avec le temps. Contrairement aux droits de propriété sur les biens meubles ou immeubles, qui se transmettent indéfiniment à la succession des héritiers légaux, les droits intellectuels cessent, au terme de vingt années après l'enregistrement pour les brevets d'invention et logiciels informatiques, et au bout de cinquante années après la mort de leurs auteurs pour les œuvres littéraires et artistiques. Au-delà de ces échéances, ils sont réputés tomber automatiquement dans le domaine public, ce qui permet dès lors l'exploitation des œuvres et de leurs reproductions sans versement d'aucune redevance.

Du moins est-ce la théorie générale. Car les législateurs ont, avec plus ou moins de bonheur, concédé un certain nombre d'exceptions. Ils ont, par exemple, consenti la vente forfaitaire de droits patrimoniaux, de leur vivant, par les auteurs d'œuvres considérées comme indiscernablement collectives ; institué des présomptions de cession aux producteurs audiovisuels qui aboutissent aux mêmes résultats ; prévu de prolonger la propriété des œuvres de collaboration jusqu'à cinquante ans après la mort du dernier des co-auteurs survivant, celle des œuvres posthumes jusqu'à cinquante ans après leur divulgation par les héritiers, celle de toutes les œuvres antérieures aux guerres mondiales de la durée des conflits qui les ont suivies.

Certaines de ces dispositions semblent d'autant plus souvent discutables que la seconde forme du droit d'auteur, le droit moral, lui, demeure théoriquement inaliénable. Non seulement aucun créateur ne peut jamais le céder à quiconque de son vivant, mais il perdure même après la disparition du dernier de ses légataires. Dans la mesure où il peut ensuite être revendiqué par certaines associations et sociétés – en particulier, d'auteurs – ce droit présente la caractéristique, rare dans notre système légal, de demeurer en principe éternel.

Les conséquences de ce double aspect du droit d'auteur sont ambivalentes pour les auteurs eux-mêmes. Nous reviendrons plus tard sur les avantages qu'il présente pour les journalistes qui ne cèdent qu'une partie de leurs droits patrimoniaux contre argent. C'est plutôt à ses inconvénients qu'ils se trouvent confrontés pendant leur travail.

Il en résulte, en effet, qu'aucun texte antérieurement publié ne peut être reproduit sans autorisation écrite de son auteur vivant ou des ayants droit de l'auteur décédé. L'existence d'un contrat d'origine peut éventuellement préposer le premier éditeur à négocier, à des conditions déterminées, les droits de reproduction patrimoniaux. Mais les droits moraux, nous l'avons vu, ne peuvent jamais être délégués.

Observons en passant que la situation inverse conduit à un assez joli paradoxe. Si un auteur a cédé ses droits patrimoniaux à un éditeur, il ne peut, théoriquement, même plus se citer lui-même sans l'autorisation de ce dernier. Faute de quoi, il pourrait lui être reproché de devenir son propre contrefacteur !

Vous avez toujours le droit de citer

Les juristes se sont si bien rendu compte du caractère draconien de telles dispositions qu'ils ont eu la sagesse d'y ménager – dans l'intérêt même des auteurs – un minimum de dérogations. Nous allons voir qu'elles ne mettent pas sérieusement en question les fondements de la propriété littéraire. Il s'agit plutôt d'exceptions qui confirment la règle.

Une première entorse se révèle indispensable pour autoriser la survie de genres artistiques d'antique tradition. Il s'agit des caricatures, parodies et pastiches. Il est clair que si leurs références à des œuvres préexistantes n'étaient pas tolérées, ces pratiques plaisantes ou déplaisantes disparaîtraient automatiquement.

Une autre particularité concerne les attendus, arrêts et verdicts prononcés ou rendus par les cours et tribunaux. Les juges ont eu l'élégance de ne pas se les approprier d'une manière qui pourrait sembler honteuse, puisqu'ils en ordonnent parfois eux-mêmes la publication, et toujours paradoxale, puisque « *nul n'est censé ignorer la loi* ». Sous l'unique réserve du cas d'amnistie relevé plus haut, les jugements sont donc aussi librement reproductibles qu'interdits de commentaires.

Dans le même esprit, aucun véritable acte officiel n'est habituellement protégé par la propriété littéraire. Tout comme les déclarations et les images des hommes publics, les lois et les règlements doivent demeurer en permanence librement accessibles au plus grand nombre. Ce qui revient encore à constater que les auteurs des lois ont eu l'élégance de ne pas protéger leurs propres œuvres.

Parce qu'elle est trop souvent ignorée ou méprisée par les pouvoirs publics, il nous faut toutefois souligner une exception à cette exception. Elle concerne la quasi-totalité des documents administratifs qui, même dénués de tout caractère confidentiel, demeurent la propriété des fonctionnaires et chargés de mission, qui les ont rédigés sur ordre. Il est vrai que nul journaliste ne s'aviserait de reproduire longuement ces proses généralement fort austères, puisqu'il subsiste une autre solution bien meilleure.

La principale limitation de la propriété littéraire constitue en effet précisément le *droit de citation.* Celui-ci autorise automatiquement et gracieusement à reproduire des extraits de textes ou de déclarations. Du moins, sous certaines conditions.

Une première stipulation du droit de citation prévoit de manière très vague que les textes reproduits doivent demeurer courts. Evidemment, cela ne signifie pas grand chose, mais l'usage semble prévaloir de considérer comme brève toute citation inférieure à une dizaine de lignes dans l'édition originale du texte. Par souci de se prémunir contre ceux qui tenteraient d'accumuler d'affilée une longue série de courts extraits, la jurisprudence a en outre établi que le total des citations d'un même auteur dans un même texte ne saurait excéder la moitié de celui-ci.

Quelle que soit la longueur des extraits, une deuxième stipulation exige qu'ils restent clairement assortis des mentions de leurs sources, c'est-à-dire non seulement des noms des auteurs et des œuvres cités, mais éventuellement des éditeurs ou des médias de leurs publications d'origine. Ces précisions interdisent à quiconque d'usurper la qualité de l'auteur qu'il cite. Elles répondent ainsi au souci de loyauté de tout bon journaliste.

La troisième stipulation est plus complexe. Elle réclame que les extraits ne soient jamais présentés pour eux-mêmes ou de manière apparemment gratuite, mais à l'appui des affirmations du discours qu'ils ne doivent servir qu'à illustrer. En cela, les juristes ne nous donnent pas seulement un avertissement contre la malhonnêteté, mais une excellente leçon de journalisme, puisqu'ils suggèrent en quelque sorte que même une simple revue de presse devrait toujours avoir un angle propre à son rédacteur.

Pour ceux que ces restrictions et prescriptions irriteraient, rappelons qu'il est spécialement aisé, en la matière, de contourner les lois. Puisque ni les informations ni les idées contenues dans un texte ne sont protégées par la propriété littéraire, il suffit en effet de le paraphraser pour le métamorphoser en une œuvre de forme nouvelle, dont le *rewriter* sera bel et bien l'auteur. La pratique professionnelle du *démarquage* ne constitue donc nullement une astuce honteuse, mais un droit légitimement reconnu sous les réserves que nous allons voir.

Plagiat et contrefaçon

Cette justification légale du pillage des œuvres d'autrui ne choquera que ceux qui n'ont pas encore compris l'esprit des lois françaises en vigueur. Celles-ci ne connaissent en effet absolument pas la notion pourtant si populaire de *plagiat*. Elles ne reconnaissent qu'une infraction infiniment plus grave, celle de *contrefaçon*.

Publier sans son autorisation écrite l'œuvre d'un autre, même si celle-ci était préalablement inédite, même si elle paraît sous sa véritable signature et même s'il est proposé à l'auteur une équitable rémunération, constitue juridiquement un acte exactement aussi grave que la reproduction privée de billets de banque. Nous verrons plus loin comment nous en protéger nous-même, mais notons à ce stade que cela ne vaut pas que pour la reproduction intégrale d'images ou de textes, ni seulement pour la reproduction d'extraits non conformes au droit de citation. Cela vaut pour la publication de toute prétendue création qui présente des analogies anormales avec des œuvres antérieures.

Echaudés par de nombreux épisodes qui ne leur ont pas laissé de beaux rôles, les magistrats détestent se prononcer sur le fond lorsqu'il s'agit d'œuvres littéraires ou artistiques. Aussi, quand ils se trouvent contraints de comparer deux créations, ne cherchent-ils nullement leurs différences, mais seulement leurs ressemblances. S'ils reconnaissent plusieurs formes ou lignes reprises littéralement, ils n'hésitent jamais à statuer à l'encontre des contrefacteurs ; en revanche, s'ils ne trouvent que des similitudes de sujets, de personnages ou de situation dans deux contextes de formes passablement différentes, ils répugnent toujours à entraver la liberté de création.

Ce régime de la contrefaçon peut se juger de manières fort différentes. Les méchants diront que le plagiat s'en trouve hautement encouragé aussi longtemps que ses praticiens sont assez habiles pour ne pas se faire prendre sur la forme. Les gentils insisteront sur le fait que les rédacteurs ou réalisateurs qui travaillent avec conscience s'attachent à transformer toute œuvre préexistante. Ils en tirent une création nouvelle qui peut même surpasser en art la précédente.

Le démarquage le plus astucieux ne dispense pas d'éliminer toute référence à un auteur irascible, avant de divulguer l'œuvre qui s'inspire de la sienne. Car persister à le citer n'expose plus seulement à un droit de réponse. La moindre maladresse d'expression suffit à déclencher une autre forme de procédure.

Si n'importe quel particulier est libre de réagir à sa simple mise en cause, il dispose en effet d'instruments plus énergiques quand cette mise en cause lui semble attentatoire à sa personne ou à sa renommée. Il peut réclamer réparation d'au moins deux grands délits reconnus : la *diffamation* et *l'injure.*

La diffamation, risque du métier

Etre non pas accusé mais prévenu de diffamation reste le risque majeur encouru par le journaliste. Ce délit est d'autant plus difficilement évitable qu'il mêle intimement non seulement la nature des intentions et du ton, mais celle des informations rapportées. Aussi nous faut-il nous attarder à la fois sur les éléments qui le constituent et sur les moyens de ne pas les réunir.

Le premier caractère d'un acte de diffamation est qu'il doit viser une personne physique ou morale déterminée. Formulée en termes assez généraux, la plus odieuse des calomnies n'autorise pas automatiquement à s'en plaindre sous le seul prétexte de s'en être senti touché. Réciproquement, il ne suffit pas de taire le nom de la personne concernée pour se couvrir, s'il subsiste d'autres indices assez précis pour permettre de l'identifier.

Le deuxième caractère de la diffamation est qu'elle comporte l'allégation d'un fait précis. Toute accusation vague et générale contre quelqu'un n'entraîne pas sa diffamation. Mais, nous verrons en revanche qu'il lui demeure loisible de se plaindre d'avoir été insulté.

Encore faut-il bien s'entendre ici sur ce qu'est une allégation de fait. Pour la jurisprudence, elle existe, même si le fait n'est qu'évoqué, et quelles que soient les clauses de style dont elle se trouve assortie. Il ne suffit donc pas de la formuler de manière interrogative, dubitative, voire négative pour qu'elle échappe aux poursuites.

Le troisième caractère est que le fait nettement évoqué puisse sembler de nature à porter atteinte à l'honneur et à la considération dont jouit la personne à laquelle il est associé. Il va de soi que la reconnaissance de cette atteinte relève pour une large part de la subjectivité. Aussi est-elle laissée à l'appréciation personnelle des juges.

Le dernier point veut que la déshonorante imputation d'un fait précis contre une personne déterminée soit émise de mauvaise foi. Cela aussi reste une délicate affaire d'appréciation. Il s'en déduit que les juges vont rechercher le maximum de présomptions dans le contexte de l'affaire.

Même si les faits sont avérés

Car, à bien étudier les quatre critères ainsi énoncés, tout journaliste chevronné ne peut qu'être frappé par l'absence de toute référence à un point qui lui semble pourtant capital : *la véracité des faits rapportés.* Si le tribunal accepte qu'il produise des preuves de ses assertions, ce n'est nullement par souci de démontrer qu'il n'a point menti. C'est plutôt parce que ces preuves peuvent contribuer à confirmer sa bonne foi. Et qu'elles ont, inversement, quelque chance de mettre en doute qu'il ait pu léser l'honneur d'un plaignant qui se révélerait, notoirement, peu honorable.

Une telle subtilité vaut qu'on s'y arrête. Il en ressort non seulement que l'assertion en toute bonne foi d'un fait contre une personne peut se trouver sanctionnée, mais que, malgré toutes les preuves confirmant l'exactitude de ce fait, son rappel risque d'être considéré comme préjudiciable au plaignant. Il est ainsi parfois bien difficile d'éviter la diffamation sans tomber dans une autocensure à la limite de la malhonnêteté.

Qu'il nous soit permis de l'illustrer en précisant ici l'exemple personnel évoqué dès le début du présent guide. A la fin de la guerre d'Algérie, l'auteur avait publié dans son magazine un article dans lequel l'un de ses confrères évoquait l'assassinat d'une célèbre personnalité libérale par un homme de main. Le fait ayant été antérieurement maintes fois signalé dans la presse et son coupable dûment condamné par la justice, ces rappels semblaient au-dessus de tout reproche.

Ils ne l'étaient pas. Sur plainte de l'incriminé, nous avons été condamnés pour diffamation. Tout simplement parce qu'il s'est révélé à l'audience que l'ancien condamné avait bénéficié d'une amnistie à laquelle avait été accordée fort peu de publicité.

Dans ces conditions, il nous sera pardonné d'avoir gardé à ce récit un tour aussi vague. Nul ne saurait nous en vouloir de ne point préciser les circonstances exactes – et discrètes – de cette amnistie, que nous nous garderons de qualifier. Personne ne nous reprochera de respecter ici le principe selon lequel il est interdit de commenter aucune décision de justice : chat échaudé...

Injures et autocensure

Nous nous contenterons donc d'enchaîner par une aussi sérieuse mise en garde au sujet de l'injure, bien que celle-ci relève moins de la pratique journalistique, et se définisse encore plus malaisément que la diffamation. Elle a en commun avec cette dernière deux critères : *la précision de la personne* et *la malveillance de l'intention.* Mais il ne s'agit plus ici d'avoir fait allusion à un fait défavorable ; il suffit d'avoir formulé une expression outrageante, un terme de mépris ou une invective. Quant à savoir quelles associations de mots ou de locutions peuvent être interprétées comme telles, nous nous bornerons à dire que ce sont toutes celles qui risquent d'être jugées choquantes par... des magistrats !

Dans presque tous ces cas, il y a contradiction entre le souci de véracité des journalistes et l'exigence d'équité des juges. Pour ces derniers, en particulier, certaines nouvelles intéressant la défense nationale ou la paix publique doivent être tues, simplement parce qu'elles sont considérées par les pouvoirs comme risquant de porter préjudice à la collectivité. La propagation de fausses nouvelles est moins répréhensible par elle-même que par la malveillance qu'elle révèle, et par les désordres qu'elle risque d'entraîner.

Un minimum de concordance ne se retrouve que dans la réglementation concernant les textes qui ne sont pas directement rédactionnels. La loi limite les promotions de certains produits d'abus dangereux, comme les alcools, et condamne la publicité mensongère. En l'occurrence, elle rejoint en cela l'obsession des journalistes : défendre non plus les institutions et les individus évoqués comme sujets, mais les lecteurs...

Reste qu'à la récapitulation des multiples avertissements qui précèdent, il peut sembler bien aléatoire de réaliser quelque œuvre que ce soit. Plutôt que de s'autocensurer en permanence, il est donc tentant de travailler librement et de ne consulter d'authentiques spécialistes qu'en cas d'inquiétudes et de doutes particuliers. C'est ce que choisissent souvent de faire les professionnels de la presse populaire, dite à sensation, qui veillent généralement avec beaucoup de sérieux à faire soigneusement relire par leurs avocats, avant composition et impression, toute copie litigieuse.

Bien sûr, cette pratique équivaut à reconstituer volontairement une censure préalable que les pouvoirs publics n'ont laissé subsister que pour le cinéma. Du moins une telle censure est-elle supposée s'exercer dans l'intérêt même des auteurs, auxquels elle permet de bénéficier de recommandations de dernière heure.

La protection du droit d'auteur

Rappelons dans ce contexte que l'auteur peut toujours refuser que des retouches soient apportées à ses textes par des mains étrangères. Le droit de l'auteur au respect de son œuvre coïncide ici avec l'amour-propre d'auteur. Mais ce droit vise davantage à limiter la production d'œuvres résultant de collaborations confuses, dont chacun des co-auteurs pourrait décliner la responsabilité juridique tout en en revendiquant la propriété littéraire.

Un corollaire presque direct se greffe au sujet de la signature. Le droit général de tout particulier au respect de son nom se trouve en effet nettement renforcé par le droit d'auteur. Il autorise en permanence tout créateur, à sa seule convenance, à signer son œuvre de son nom patronymique, de tout pseudonyme strictement personnel, ou de toute marque non exploitée par autrui. Voire à ne pas signer du tout, ou à user, d'un commun accord, du nom d'un autre. Ces pratiques, qui se répandent avec l'anonymat du journalisme collectif et avec le « négriarcat » littéraire méritent d'être explicitées. Il doit être clairement entendu qu'il s'agit de libertés qui ne sont offertes qu'aux auteurs et qui ne peuvent leur être légalement imposées.

Au demeurant, la présence ou l'absence de signature fait peu de différence au regard de la loi. L'auteur véritable d'un texte ne saurait se trouver exonéré d'aucune responsabilité sous le seul prétexte qu'il l'a publié de manière anonyme ou pseudonyme. Inversement, la mention d'un nom accolé à une œuvre ne constitue qu'une présomption de la qualité d'auteur, laquelle reste souvent à démontrer par d'autres moyens.

Raison de plus pour prévenir en temps utile tant la contrefaçon que l'accusation de contrefaçon ou l'imputation de divers délits en se ménageant des ressources pour faire reconnaître exactement la forme d'origine et la date de création de son œuvre. En la matière, les tribunaux acceptent difficilement la validité de témoignages humains, souvent trop complaisants. Mais, ils reconnaissent en contrepartie diverses formes de preuves matérielles. Il peut suffire de s'expédier à soi-même un exemplaire de l'œuvre originale, sous pli soigneusement cacheté, le cachet de la poste faisant foi. Il est également possible de recourir aux bons offices d'un officier ministériel ou d'un agent consulaire. Mais, le moyen le plus simple et le plus efficace est de procéder à un dépôt dans les conditions requises par les syndicats et sociétés d'auteurs.

A cette étape, il n'est pas encore trop tard pour protéger ses droits, ni pour limiter ses responsabilités. Car l'un des aspects positifs de notre législation reste qu'elle ne prétend jamais interdire à quiconque de dire ou d'écrire, ni de donner à lire, à écouter ou à voir quoi que ce soit dans l'intimité de la vie privée. Les seuls délits reconnus comme tels sont liés aux actes de la divulgation publique.

Les avantages de cette conception ne sont pas négligeables. Tout auteur peut de la sorte disposer d'ultimes délais de réflexion – voire de repentir – jusqu'à la diffusion effective de son œuvre. Il n'est ainsi ni le seul, ni même le principal justiciable.

Les inconvénients tiennent à la dilution des responsabilités qui en découlent le plus souvent. Peu de professionnels échappent complètement à une part de risques tout au long de la chaîne de production d'un journal. Tous doivent donc concourir à surveiller avec une vigilance sans défaut le moment juridiquement fatidique : celui de la publication...

CHAPITRE IV

Publier n'est pas jouer

Les législateurs ne s'y sont pas trompés. Ils ont parfaitement prévu que, dans le cadre d'un rapport de force capitaliste, les garanties instituées pour défendre les droits moraux des journalistes et des auteurs ne l'emporteraient pas toujours face à l'appât du gain, à la crainte de perdre son emploi ou sa collaboration, ni même face à la peur de voir son œuvre demeurer inédite. Dans le cadre d'activités sociales, les propriétés tant littéraires qu'artistiques ont une tendance naturelle à se perdre, au fur et à mesure que les contributions intimement mêlées de multiples intervenants produisent des œuvres plus ou moins collectives, tout en diluant les responsabilités de chacun de leurs nombreux co-auteurs.

Aussi les lois ont-elles institué un responsable principal : le directeur de publication, lui imposant d'y faire figurer son nom – et son nom seul. Car, n'en déplaise aux autres collaborateurs, peu d'autres mentions de générique sont obligatoires sur ces œuvres collectives que sont les journaux, les émissions ou les films. Le directeur seul doit cette prérogative au fait qu'il est réputé disposer du pouvoir d'en contrôler intégralement le contenu et doit l'obligation, qui s'y trouve liée, au fait qu'il est supposé seul en mesure d'en décider la publication.

L'étrange conséquence de ce principe est que le directeur de la publication reste le plus souvent considéré comme le principal coupable de tout délit de presse. Les auteurs des déclarations, des textes ou des images ne sont poursuivis que comme simples complices.

Il faut y réfléchir à deux fois pour comprendre qu'en la matière les juristes ont raison. En proposant un article contenant des éléments qui ne lui appartiennent pas ou qui portent préjudice à un tiers, tout collaborateur peut commettre une faute, mais non un délit, puisque ce n'est pas lui personnellement qui publie. En l'absence d'obligation légale d'éditer, le directeur garde au contraire le pouvoir d'éliminer ce qui est contestable, et devient ainsi l'auteur du forfait, au moment où il prend la décision de faire paraître.

Bien sûr, ces dispositions sont relativement contournables. Malgré les textes l'interdisant, les véritables éditeurs peuvent souvent stipendier un « homme de paille », spécialement préposé à comparaître en justice à leur place. Ils ne s'en privent pas.

Les responsables de la publication, en revanche, ne disposent d'aucune échappatoire. Même le fait d'avoir été absents ou empêchés par un cas de force majeure d'exercer leur contrôle sur la parution ne s'inscrit guère à leur décharge. De par les fonctions qu'ils ont acceptées, et en échange des rémunérations qu'ils perçoivent à ce titre, il leur incombe en effet précisément d'être là et d'accomplir leur tâche qui comporte d'assumer les erreurs.

Leurs charges sont d'autant plus écrasantes qu'ils se voient fréquemment prévenus non d'un seul délit, mais de plusieurs. En effet, le caractère industriel de la plupart des activités de diffusion de l'information, du divertissement et de la culture, rend souvent les délits répétitifs. Non seulement la parution du premier exemplaire du journal ou du livre, la première diffusion de l'émission ou la première projection du film peuvent à elles seules constituer une infraction, mais les projections et diffusions suivantes, voire la mise en circulation de chacun des autres exemplaires imprimés constituent autant de récidives.

Saisies et condamnations

A y réfléchir, ces dispositions se révèlent fondées. Toute personne insultée ou diffamée subit un préjudice d'autant plus grand que sa mise en cause touche un plus grand nombre de tiers. Il en va exactement de même pour tout auteur dont l'œuvre est indûment exploitée.

De là vient que la plupart des actions en justice intentées contre la presse suscitent moins de requêtes symboliques que de demandes de considérables dommages et intérêts. Le préjudice n'est pas seulement lié à l'importance de la contrefaçon ou de l'atteinte à l'honneur et à la considération ; il dépend également de la dimension de l'audience qui en est le témoin.

C'est aussi pourquoi la majorité des actions de ce type usent des procédures urgentes de référés. En effet, les plaintes ne visent pas seulement à obtenir compensation sur le fond. Elles tendent généralement à limiter ou à interrompre la poursuite du dommage.

Ce dernier point entretient une certaine confusion au sujet de la fonction des procédures de saisies. Celles-ci sont de deux sortes bien différentes : d'une part, les saisies conservatoires ont pour unique et indiscutable objet d'assurer à la Justice un petit nombre d'exemplaires destinés à servir de preuve des délits commis ; d'autre part, les saisies confiscatoires ont pour but de retirer de la circulation le maximum d'exemplaires en vue de restreindre la portée des délits. Ces dernières semblent plus contestables, puisqu'elles répondent au préjudice initial par un autre préjudice, celui-là commercial, et ne défendent les droits de l'opinion qu'en réduisant la liberté de la presse. En ce sens, il est plaidable que les saisies intégrales justifiées par de seules considérations idéologiques, politiques ou d'ordre public – comme nous en avons constamment vécu pendant la guerre d'Algérie – sont contraires à l'esprit des lois.

En cas de litige, la procédure normale se limite à la citation à comparaître du directeur de la publication et, éventuellement, de ses principaux comparses parmi les journalistes. Après audition du ministère public, des avocats des plaignants et des témoins, examen des preuves rapportées, audition des réquisitions et des plaidoyers, les tribunaux prononcent relaxes, non-lieux, acquittements ou condamnations. Mais il est rare que leurs verdicts revêtent un caractère de gravité.

Les sanctions encourues ne sont pas souvent lourdes. Seule, la contrefaçon expose quelquefois encore à de véritables peines de prison. Dans la plupart des autres cas, les juges se bornent à condamner à des amendes.

Encore les journalistes ne les payent-ils guère. Dans la plupart des rédactions, il reste d'usage que les entreprises assument à leur place le coût intégral des infractions commises sans faute professionnelle délibérée. Et si les règlements des sommes réclamées par suite de délits de presse ne sont pas effectués, la tradition empêche de les recouvrer sur les biens des particuliers.

L'indulgence de la Justice va plus loin. Elle admet le plus souvent que les condamnations pour délits de presse sont aisément prescriptibles et amnistiables. Elle n'exige généralement pas leur inscription au casier judiciaire.

Cette mansuétude ne s'exerce qu'au profit des auteurs proprement dits. Car, après la publication, la législation accentue volontairement l'inégalité entre les éditeurs et leurs collaborateurs : les directeurs de publication n'ont plus guère que des devoirs, alors que les journalistes retrouvent un maximum de droits.

La loi : des inégalités suivant les auteurs

Pour bien comprendre cet état de fait, il nous faut revenir sur les différentes formes de relations nouées entre les auteurs et leurs associés, commanditaires ou employeurs. Car le pragmatisme de lois adoptées à des périodes très différentes a engendré une diversité de régimes selon les activités. Cette variété est d'autant plus regrettable qu'elle entraîne d'importantes inégalités entre les différentes sortes d'auteurs.

En ce qui concerne les œuvres littéraires et artistiques, la loi a posé pour principe l'obligation de contrats écrits. Tout éditeur qui se hasarde à publier un livre sans une convention de cession en bonne et due forme s'expose à de graves poursuites en contrefaçon. Pour devenir dépositaire des droits patrimoniaux, il doit non seulement s'engager à publier dans des délais et en quantités déterminés, à assurer à l'œuvre une exploitation permanente et suivie, mais également à rendre compte périodiquement de sa gestion à l'auteur.

Ce privilège théorique de l'écrivain se paie en pratique de sévères contreparties. En échange de sa publication, l'éditeur exige le plus souvent la jouissance de tous les droits, directs et dérivés, pour tous lieux et pour toute la durée de la propriété littéraire – c'est-à-dire en général jusqu'à un demi-siècle après la mort des auteurs ! De plus, il n'est pas rare qu'il impose une clause, dite de préférence, par laquelle l'auteur s'engage unilatéralement à lui soumettre en priorité – pendant une certaine durée ou en un certain nombre – ses œuvres d'un genre déterminé que l'éditeur ne sera nullement tenu de publier...

Les maladresses des législateurs de 1985 ont placé les auteurs d'œuvres audiovisuelles et de logiciels dans une situation bien plus défavorable encore. Sous prétexte qu'ils ne contribuent jamais qu'à des créations collectives dans des industries d'avant-garde en difficultés, il leur a été imputé une présomption de cession aux producteurs, qui empiète sensiblement sur leurs droits moraux et les oblige éventuellement à faire eux-mêmes la difficile preuve qu'ils sont bien auteurs. Si l'usage maintient l'existence de contrats qui leur ménagent des redevances proportionnelles au succès de leurs œuvres, celles-ci sont le plus souvent si minimes qu'elles tendent à relever de la pure fiction.

Le salaire ne paie qu'une première reproduction

En toute honnêté, il faut reconnaître que la souplesse d'échine des auteurs de l'audiovisuel trouve une contrepartie. Les avances sur droits et primes d'inédit, qu'ils perçoivent sur leurs œuvres de commande, se révèlent généralement beaucoup plus substantielles que celles des auteurs de l'imprimé. Et les sociétés d'auteurs leur assurent une distribution relativement satisfaisante des droits de diffusion.

Les journalistes, en la matière, se trouvent dans une position médiane. L'existence d'un contrat de travail les dispense le plus souvent – bien à tort ! – de contrats écrits de cession de leurs droits littéraires. Mais ils bénéficient en échange de la conservation théorique de l'essentiel de ces droits.

Insistons sur ce point car il demeure, hélas, méconnu. Le versement des piges ou des salaires rémunère l'accomplissement du travail mais n'emporte nullement l'aliénation des droits littéraires. Il implique seulement l'abandon du droit de première reproduction ; les conséquences de cette observation sont aussi lourdes pour les éditeurs que pour les auteurs de presse.

En premier lieu, les directeurs de publication ne peuvent, sans porter préjudice à l'auteur, conserver indéfiniment les droits de première reproduction qui leur ont été concédés. Ils sont tenus de les exploiter dans des délais assez courts pour que les tribunaux les jugent raisonnables. Faute de quoi, ils se trouveront automatiquement réputés y avoir renoncé.

De plus, ni eux ni leurs mandataires n'ont le droit moral ni même le droit matériel de rétrocéder à quiconque un droit de reproduction. Pour qu'ils disposent du pouvoir de négocier une cession à la place des auteurs, il reste indispensable qu'ils y soient explicitement autorisés par la conclusion d'un contrat écrit d'agence. Encore les agents ne peuvent-ils rémunérer à forfait que les reproductions désignées par avance ; encore doivent-ils assurer une honnête participation lorsque survient une vente imprévue ; encore leur faut-il conditionner chaque cession à l'autorisation morale des auteurs.

En comparaison, les journalistes jouissent de libertés beaucoup plus grandes. Non seulement ils ont le droit de proposer leurs œuvres à d'autres publications non concurrentes si elles n'ont pas été publiées par leurs employeurs dans un délai raisonnable, mais ils sont fondés à les revendre sans la moindre modification après leur publication – l'exercice de la priorité ayant automatiquement éliminé tout caractère de concurrence. Et ils ne sont redevables d'aucune commission aux journaux qui ont assuré la première publication.

Des avantages fiscaux et sociaux

Tous les auteurs bénéficient d'avantages, voire parfois de privilèges sociaux et fiscaux considérables. Il est d'autant plus regrettable qu'ils persistent souvent à les ignorer.

Les journalistes restent les mieux servis en matière de chômage. D'abord, en cas d'exercice de la clause de conscience, ou de licenciement – même s'il s'agit de pigistes, pour peu que leur collaboration ait été régulière pendant au moins trois mois – ils ont droit à des indemnités. Celles-ci peuvent être considérables, puisqu'elles dépassent l'équivalent d'un mois du dernier salaire par année d'activité continue au sein de l'entreprise. Ces dédommagements demeurent simplement réduits de moitié pour les stagiaires qui n'ont pas encore trois ans d'ancienneté dans la profession, et ils sont théoriquement plafonnés à quinze mois de salaire.

Rien ne risque de priver un journaliste de ses indemnités de départ. Même en cas de faillite de son employeur, des caisses de garantie se substituent le plus souvent à l'entreprise défaillante. Et leur règlement est, de toute façon, considéré comme une créance prioritaire de premier rang.

Les journalistes sont ensuite pris en charge par des organismes inamovibles. Ils ne profitent pas seulement, comme tous les demandeurs d'emploi, des modestes allocations mensuelles de l'Etat. Ils doivent obtenir des versements complémentaires plus substantiels des ASSEDIC.

Les pigistes bénéficient même d'un système exceptionnel, celui de la procédure dite de décalage. S'ils déclarent correctement aux agences nationales de l'emploi les rémunérations occasionnelles qu'ils perçoivent en période de chômage, leurs allocations mensuelles sont réduites d'autant. Mais leurs droits à la perception des ASSEDIC se trouvent du même coup indéfiniment prolongés jusqu'à concurrence des mêmes montants.

Pour les professionnels de l'audiovisuel, la situation est déjà un peu moins favorable. D'une part, le caractère généralement limité de leurs contrats de travail leur permet rarement de revendiquer des indemnités, mais seulement le versement intégral des rémunérations convenues. D'autre part, le service de leurs droits d'auteur n'en fait que des créanciers privilégiés de dernier rang. Seuls leurs cachets – assimilés à des salaires – s'inscrivent au premier rang.

Leur statut éventuel de travailleurs du spectacle leur assure un régime de chômage relativement décent. S'ils travaillent avec un minimum de régularité, il leur est en effet assez facile d'accéder aux allocations ouvertes par un organisme spécial, l'Agence nationale pour l'emploi des artistes. Ils y bénéficient de la procédure de décalage.

En comparaison, les écrivains font figure de parents pauvres. Même si le règlement en a été indûment différé, leurs droits d'auteurs ne constituent jamais que des créances privilégiées de dernier rang. Elles sont d'autant plus difficiles à recouvrer qu'aucun organisme n'en assure la garantie.

Ils disposent en revanche de droits au chômage méconnus. Bien que la plupart des agences de l'emploi continuent à l'ignorer, ils sont désormais fondés à réclamer les allocations de l'Etat. Mais ne bénéficient pas encore de celles des ASSEDIC, faute d'être rattachés à une institution compétente.

Sécurité sociale garantie pour tous

Dans tous ces cas, la couverture sociale reste assurée. Mais elle n'obéit pas forcément au régime général, car il existe des organismes spécialisés.

Les écrivains et les illustrateurs relèvent respectivement de l'AGESSA et de la Maison des artistes. Si tous les auteurs, comme tous leurs employeurs, ne cotisent auprès de ces deux organismes qu'à des taux extrêmement réduits, c'est que seuls les professionnels ont droit à la plupart des prestations. Pour en bénéficier, il leur faut produire des preuves de revenus et d'activités, suivant des règles assez libérales.

Un système analogue protège les collaborateurs de l'audiovisuel. Leurs cachets sont soumis aux mêmes cotisations que des salaires et ouvrent les mêmes droits. Leurs droits d'auteur sont en revanche gérés par l'AGESSA, dont les prestations ne sont évidemment pas cumulables.

Les journalistes bénéficient en général de meilleures conditions. S'ils sont salariés, ils cotisent comme tout un chacun, dans les limites d'un plafond, sans être pour autant dispensés de cotiser sur toute pige supplémentaire. Ils ont du même coup droit à toutes les prestations du régime général.

Des dispositions particulières n'ont été instaurées qu'en ce qui concerne les pigistes. Pour leur épargner de cotiser systématiquement jusqu'au plafond pour chacune de leurs piges, un système assez laborieux les autorise à faire établir des péréquations, comme s'ils percevaient un salaire global. En contrepartie, les prestations ne leur sont versées que sous des conditions de revenus et d'activités.

Certains parlent de privilèges

Journalistes salariés ou pigistes profitent par surcroît d'importants privilèges fiscaux. En particulier, en cas d'exercice de la clause de conscience, ou de licenciement, les indemnités qui leur sont versées ne sont pas considérées comme des revenus et restent donc exonérées d'impôt. Cela ne vaut évidemment pas pour les salaires perçus en période de préavis, que celui-ci soit effectué ou non.

Même dans le cadre de leurs activités habituelles, les journalistes sont favorisés. Avant imposition, outre l'abattement de 20% sur tous les revenus et la réduction de 10% accordée à tous les salariés ou assimilés, il leur est en effet consenti une déduction supplémentaire de 30%. Toutefois, cette déduction demeure désormais plafonnée à 50 000 francs.

Il faut noter que ces privilèges n'étant pas liés à la corporation mais à son activité, ils ne sont nullement extensibles aux revenus que des journalistes reçoivent de sources autres que la presse. A l'inverse, ils ne sont pas limités aux seuls détenteurs de la carte professionnelle. Ils peuvent, au contraire, être revendiqués par tout collaborateur occasionnel de la presse, naturellement pour la seule part de revenus qui en émane.

Les déductions fiscales spécifiques aux journalistes peuvent être juxtaposées à celles dont profitent d'autres activités, par exemple celle des comédiens. En général, elles sont simplement limitées à un plafond commun. Mais même les plafonds sont cumulables dans le cas des journalistes qui exercent parallèlement un autre métier d'auteur.

Les autres auteurs, dans l'ensemble, ne sont pas beaucoup plus mal lotis. S'ils choisissent et obtiennent le régime qui les assimile à des salariés, ils bénéficient – sous le même plafond – d'une déduction supplémentaire de 25%. En cas de très grandes disparités de ressources, par exemple à la suite d'un succès commercial exceptionnel, certaines procédures leurs permettent en outre d'étaler leurs revenus sur plusieurs exercices. Quant aux prix littéraires et récompenses artistiques qui ne constituent pas la rémunération directe d'un travail, ils sont désormais exonérés de toute fiscalité – comme les gains aux jeux et loteries.

Il en va tout autrement dès qu'il s'agit de pensions, rentes et retraites. Le bénéfice des pré-retraites demeure, par définition, réservé aux salariés. Si la poursuite de collaborations journalistiques entraîne la procédure du décalage, les droits d'auteur – parce qu'ils ne constituent pas réellement des salaires, mais des revenus tirés d'un patrimoine – n'ont jamais à être déclarés aux caisses d'allocations.

Inégalités aussi pour les retraites

Encore l'accès aux retraites proprement dites demeure-t-il très inégal. Alors qu'une continuité d'activité suffisante ouvre à tous le droit aux modestes allocations de la Sécurité sociale, chaque catégorie ne peut évidemment prétendre qu'aux pensions complémentaires versées par des organismes auprès desquels il a été suffisamment cotisé. Or, s'il existe bien de nombreux organismes débirentiers aisément accessibles aux personnels de la presse, les sociétés d'auteurs réservent leurs systèmes de prévoyance à leurs seuls sociétaires.

Les journalistes à la retraite profitent en outre d'un assez curieux usage. Ils ont le droit de conserver jusqu'à leur mort l'appellation de « journalistes honoraires » et d'obtenir la délivrance d'une carte de presse à ce seul titre. Le fait qu'ils restent assez nombreux à la réclamer prouve qu'ils y trouvent un bénéfice.

Bien sûr, une partie des avantages recensés ci-dessus relève de la théorie. En pratique, beaucoup de journalistes craignent trop de perdre leur emploi, leurs collaborations, les revenus et les prestiges qu'ils procurent, pour veiller à ce que tous leurs droits soient systématiquement sauvegardés. C'est sans doute regrettable.

Les libertés ne s'usent que si l'on ne s'en sert pas, tout comme les responsabilités s'évanouissent à force de n'être pas assumées. C'est pourquoi nous voudrions conclure en proposant un ajout à notre morale professionnelle.

Tout bon journaliste – du pigiste au directeur – devrait non seulement tenir pour un honneur de respecter sa déontologie, mais pour un devoir de faire respecter ses droits. En y veillant scrupuleusement, il ne défend pas seulement ses intérêts égoïstes et ceux de sa corporation ; il concourt à la promotion et à l'amélioration d'un ensemble de lois qui le méritent, autant au bénéfice de la communauté des créateurs qu'à celui de la société tout entière.

En effet, le droit d'auteur n'est peut-être pas seulement un ensemble complexe de législations particulières. Il pourrait se révéler quelque jour inspiré par une philosophie d'avant-garde qui réconcilierait des régimes apparemment aussi contradictoires que celui du travail et celui de la propriété. Est-il si impensable que cela de voir dans un lointain futur reconnu à tout travailleur un droit imprescriptible sur tous les objets que ses efforts produisent ?

N'hésitez pas à nous emprunter ce thème de réflexion original. Il ne vous sera fait aucun reproche de plagiat. Puisque les mots, les informations et les idées appartiennent à tout le monde...

Les chartes déontologiques

Il n'existe en France aucun texte, ni légal, ni contractuel, fixant les usages et devoirs applicables à l'ensemble des journalistes. Les seules déclarations adoptées par les organisations professionnelles, sur le plan national ou international, n'engagent que leurs signataires et la discipline intérieure de ces organisations.

Le plus ancien de ces textes, intitulé « Charte des devoirs professionnels des journalistes français *» a été adopté, dès 1918, par le Syndicat national des journalistes français (SNJ), peu après sa fondation, puis révisé et complété en janvier 1938 par le même syndicat. S'en réclament également les deux autres syndicats issus de ce tronc commun (SNJ-FO et SNJ-CGT) comme d'ailleurs, implicitement, l'ensemble des journalistes français.*
En voici le texte intégral:

CHARTE DES DEVOIRS PROFESSIONNELS DES JOURNALISTES FRANCAIS

« Un journaliste digne de ce nom:
- prend la responsabilité de tous ses écrits;
- tient la calomnie, les accusations sans preuves, l'altération des documents, la déformation des faits, le mensonge, pour les plus graves fautes professionnelles;
- ne reconnaît que la juridiction de ses pairs, souverains en matière d'honneur professionnel;
- n'accepte que des missions compatibles avec sa dignité professionnelle;
- s'interdit d'invoquer un titre ou une qualité imaginaires, d'user de moyens déloyaux, pour obtenir une information ou surprendre la bonne foi de quiconque;

- ne touche pas d'argent dans un service public ou une entreprise privée où sa qualité de journaliste, ses influences, ses relations soient susceptibles d'être exploitées;
- ne signe pas de son nom des articles de publicité commerciale ou financière;
- ne commet aucun plagiat;
- cite les confrères dont il reproduit un texte;
- ne sollicite pas la place d'un confrère ni ne provoque son renvoi, en offrant de travailler à des conditions inférieures;
- garde le secret professionnel;
- n'use pas de la liberté de la presse dans une intention intéressée;
- revendique la liberté de publier honnêtement ses informations;
- tient le scrupule et le souci de la justice pour des règles premières;
- ne confond pas son rôle avec celui du policier. »

Une formulation plus récente et plus complète a été adoptée en 1971, à Munich, par les représentants des fédérations de journalistes de la Communauté européenne, de Suisse et d'Autriche, ainsi que de diverses organisations internationales de journalistes. Elle s'intitule « Déclaration des devoirs et des droits des journalistes » *et dépasse donc quelque peu le cadre de la déontologie au sens strict. L'Union nationale des syndicats de journalistes français a demandé aux organisations d'employeurs que ce texte figure en préambule de la nouvelle Convention collective des journalistes, afin d'imposer à tous les* « principes éthiques de la profession et les clauses nécessaires à son extension ». *Voici le texte complet de cette déclaration :*

DÉCLARATION DES DEVOIRS ET DES DROITS DES JOURNALISTES

Préambule

Le droit à l'information, à la libre expression et à la critique est une des libertés fondamentales de tout être humain.

De ce droit du public à connaître les faits et les opinions procède l'ensemble des devoirs et des droits des journalistes.

La responsabilité des journalistes vis-à-vis du public prime toute autre responsabilité, en particulier à l'égard de leurs employeurs et des pouvoirs publics.

La mission d'information comporte nécessairement des limites que les journalistes eux-mêmes s'imposent spontanément. Tel est l'objet de la déclaration des devoirs formulés ici.

Mais ces devoirs ne peuvent être effectivement respectés dans l'exercice de la profession de journaliste que si les conditions concrètes de l'indépendance et de la dignité professionnelle sont réalisées. Tel est l'objet de la déclaration des droits, qui suit.

Déclaration des devoirs

Les devoirs essentiels du journaliste, dans la recherche, la rédaction et le commentaire des évènements, sont:

1/ Respecter la vérité, quelles qu'en puissent être les conséquences pour lui-même, et ce, en raison du droit que le public a de connaître la vérité;
2/ Défendre la liberté de l'information, du commentaire et de la critique:
3/ Publier seulement les informations dont l'origine est connue ou les accompagner, si c'est nécessaire, des réserves qui s'imposent; ne pas supprimer les informations essentielles et ne pas altérer les textes et documents;
4/ Ne pas user de méthodes déloyales pour obtenir des informations, des photographies et des documents;
5/ S'obliger à respecter la vie privée des personnes;
6/ Rectifier toute information publiée qui se révèle inexacte;
7/ Garder le secret professionnel et ne pas divulguer la source des informations obtenues confidentiellement;
8/ S'interdire le plagiat, la calomnie, la diffamation et les accusations sans fondement ainsi que de recevoir un quelconque avantage, en raison de la publication ou de la suppression d'une information;
9/ Ne jamais confondre le métier de journaliste avec celui du publicitaire ou du propagandiste; n'accepter aucune consigne, directe ou indirecte, des annonceurs;
10/ Refuser toute pression et n'accepter de directive rédactionnelle que des responsables de rédaction.

Tout journaliste digne de ce nom se fait un devoir d'observer strictement les principes énoncés ci-dessus.

Reconnaissant le droit en vigueur dans chaque pays, le journaliste n'accepte, en matière d'honneur professionnel, que la juridiction de ses pairs, à l'exclusion de toute ingérence gouvernementale ou autre.

Déclaration des droits

1 / Les journalistes revendiquent le libre accès à toutes les sources d'information et le droit d'enquêter librement sur tous les faits qui conditionnent la vie publique.
Le secret des affaires publiques ou privées ne peut en ce cas être opposé au journaliste que par exception et en vertu de motifs clairement exprimés ;

2 / Le journaliste a le droit de refuser toute subordination qui serait contraire à la ligne générale de son entreprise, telle qu'elle est déterminée par écrit dans son contrat d'engagement, de même que toute subordination qui ne serait pas clairement impliquée par cette ligne génrale ;

3 / Le journaliste ne peut être contraint à accomplir un acte professionnel ou à exprimer une opinion qui serait contraire à sa conviction ou à sa conscience ;

4 / L'équipe rédactionnelle doit être obligatoirement informée de toute décision importante de nature à affecter la vie de l'entreprise.
Elle doit être au moins consultée, avant décision définitive, sur toute mesure intéressant la composition de la rédaction : embauche, licenciement, mutation et promotion de journalistes ;

5 / En considération de sa fonction et de ses responsabilités, le journaliste a droit non seulement au bénéfice des conventions collectives, mais aussi à un contrat personnel assurant sa sécurité matérielle et morale ainsi qu'à une rémunération correspondant au rôle social qui est le sien et suffisante pour garantir son indépendance économique. »

Munich 1971

Bibliographie

AUBY Jean-Marie et DUCOS-ADER Robert: *Droit de l'information.*
Editions Dalloz, 1982.

BERNELAS Jean-Louis et BUCHALET Sylvie: *Les droits d'auteur. Approche juridique et étude fiscale.*
Editions Economica, 1987

BIOLLEY Gérard: *Le droit de réponse en matière de presse.*
Librairie générale de droit et de jurisprudence, 1963.

BLIN Henri, CHAVANNE Albert et DRAGO Roland: *Traité du droit de la presse.*
Librairies techniques, 1988.

BOHERE Georges: *Profession, journaliste. Etude sur la condition du journaliste en tant que travailleur.*
Bureau international du travail, 1984.

BONNEFOY Gaston: *La nouvelle législation de la propriété littéraire et artistique.*
Editions Domat-Monchrestien, 1959.

CASILE Nicole: *Loi sur la communication audiovisuelle. Analyse de la loi.*
La Documentation française, 1983.

COLOMBET Claude: *Propriété littéraire et artistique.*
Editions Dalloz, 1986.

COUPRIE Eliane: *Activités de presse et Marché commun. Le régime juridique français à l'épreuve du traité de Rome.*
Librairie générale de droit et de jurisprudence, 1983.

DEBBASCH Charles: *Le droit de l'audiovisuel.*
Presses universitaires de France, 1984.

DEBBASCH Charles : *Radio et télévision en Europe.*
Editions du CNRS, 1985.

DESBOIS Henri : *Le droit d'auteur en France.*
Editions Dalloz, 1978.

DUMAS Roland : *Le droit de l'information.*
Presses universitaires de France, 1981.

DUMAS Roland : *La propriété littéraire et artistique.*
Presses universitaires de France, 1987.

EDELMAN Bernard : *Le droit saisi par la photographie.*
Editions Christian Bourgois, 1982.

FRANCON André : *La propriété littéraire et artistique.*
Presses universitaires de France, 1979.

FREMOND Pierre : *Droit de la photographie, droit sur l'image.*
Editions Publicness, 1985.

FREMOND Pierre : *Le droit de la photographie.*
Editions Dalloz, 1988.

GATINEAU Jean-Claude et SOLAL Philippe : *Dictionnaire juridique, presse écrite, parlée, télévisée.*
Editions Dalloz, 1980.

HEBARRE Jean-Louis : *Protection de la vie privée et déontologie des journalistes.*
Institut international de la presse, 1970.

JONES Clément : *Déontologie de l'information. Codes et conseils de presse. Etude comparative des règles de la morale pratique dans les métiers d'information à travers le monde.*
Editions de l'UNESCO, 1981.

LASSERRE Bruno, LENOIR Noëlle et STIRN Bernard : *La transparence administrative.*
Presses universitaires de France, 1987.

LELOUP Jean-Marie : *Le journal, les journalistes et le droit d'auteur.*
Institut français de presse, 1962.

LINDON Raymond : *Les droits de la personnalité.*
Editions Dalloz, 1983.

LOUSSOUARN Yvan : *L'information en droit privé.*
Librairie générale de droit et de jurisprudence, 1978.

LUSSAN Claude : *Le titre, enseigne du journal.*
Librairie générale de droit et de jurisprudence, 1950.

MIE Alain-Louis : *L'administration et le droit à l'information.*
Editions Berger-Levrault, 1985.

OBERTHUR Jean-Pierre : *Guide du droit d'auteur en photographie.*
Annuaire de la photographie professionnelle, 1980.

PINTO Roger : *La liberté d'opinion et d'information. Contrôle juridictionnel et administratif.*
Editions Domat-Monchrestien, 1955.

PINTO Roger : *La liberté d'information et d'opinion en droit international.*
Editions Economica, 1984.

PLAISANT Robert : *Propriété littéraire et artistique (droit interne et conventions internationales).*
Librairies techniques, 1954.

RAVANAS Jacques : *La protection des personnes contre la réalisation et la publication de leur image.*
Librairie générale de droit et de jurisprudence, 1978.

STRAUSS Gérard : *Le critique devant la loi et la jurisprudence.*
Editions France-Littérature, 1959.

VALANCOGNE François : *Le titre de roman, de journal, de film. Sa protection.*
Editions Sirey, 1963.

VOYENNE Bernard : *Le droit à l'information.*
Editions Aubier-Montaigne, 1970.

Adresses utiles

Bureau de vérification de la publicité, 5, rue Jean-Mermoz, 75008 Paris. Tél. (1) 43 59 89 45.

Caisse nationale de prévoyance et de retraite des cadres de la presse, 8, rue Bellini, 75016 Paris. Tél. (1) 45 05 13 03.

Centre de formation et de perfectionnement des journalistes, 33, rue du Louvre, 75002 Paris. Tél. (1) 45 08 86 71.

Centre d'étude des supports de publicité, 32, avenue Georges-Mandel, 75016 Paris. Tél. (1) 45 53 22 10.

Centre national de reclassement des journalistes, 146, rue Montmartre, 75002 Paris. Tél. (1) 45 08 56 72.

Commission nationale de la carte d'identité des journalistes professionnels, 160, rue Lafayette, 75010 Paris. Tél. (1) 42 41 17 17.

Commission paritaire des publications et agences de presse, 14, boulevard de la Madeleine, 75009 Paris. Tél. (1) 42 65 46 69.

Commission pour la transparence et le pluralisme de la presse, 11 bis, rue de Milan, 75009 Paris. Tél. (1) 48 78 82 82.

La documentation française, 29, quai Voltaire, 75700 Paris. Tél. (1) 40 15 70 00.

Fédération nationale de la presse française, 6 bis, rue Gabriel-Laumain, 75010 Paris. Tél. (1) 48 24 98 30.

Institut français de presse et des sciences de l'information, 83 bis, rue Notre-Dame-des-Champs, 75006 Paris. Tél. (1) 43 20 12 24.

Institut national de la propriété industrielle, 26 bis, rue de Léningrad, 75008 Paris. Tél. (1) 42 94 52 52.

Institut national de l'audiovisuel, 4, avenue de l'Europe, 94360 Bry-sur-Marne. Tél. (1) 48 75 85 85.

Maison des écrivains, 53, rue de Verneuil, 75007 Paris. Tél. (1) 45 49 31 40.

Service d'information et de diffusion, 19, rue de Constantine, 75700 Paris. Tél. (1) 42 75 80 00.

Service juridique et technique de l'information, 69, rue de Varenne, 75700 Paris. Tél. (1) 42 75 87 00.

Société des auteurs, compositeurs et éditeurs de musique, 225, avenue Charles-de-Gaulle, 92521 Neuilly-sur-Seine.

Société des auteurs et compositeurs dramatiques, 11, rue Ballu, 75009 Paris.

Société civile des auteurs multi-média, 38, rue du Faubourg-Saint-Jacques, 75014 Paris.

Société des gens de lettres de France, 38, rue du Faubourg-Saint-Jacques, 75014 Paris.

Société pour la propriété artistique des dessins et des modèles, 12, rue Henner, 75009 Paris. Tél. (1) 42 85 41 01.

Syndicat chrétien des journalistes CFTC, 13, rue des Ecluses-Saint-Martin, 75010 Paris. Tél. (1) 42 05 79 66.

Syndicat des écrivains de langue française, 71, rue Ampère, 75017 Paris.

Syndicat des écrivains professionnels, 38, rue du Faubourg-Saint-Jacques, 75014 Paris.

Syndicat national des journalistes CGC, 64, rue Taitbout, 75009 Paris. Tél. (1) 42 82 19 91.

Syndicat général des journalistes Force Ouvrière, 8, rue du Hanovre, 75002 Paris. Tél. (1) 42 68 02 11.

Syndicat national des auteurs et compositeurs, 80, rue Taitbout, 75009 Paris.

Syndicat national des journalistes (SNJ), 33, rue du Louvre, 75002 Paris. Tél. (1) 42 36 84 23.

Syndicat national des journalistes CGT, 50, rue Edouard-Pailleron, 75019 Paris. Tél. (1) 42 09 23 00.

Union nationale des syndicats de journalistes, 50, rue Edouard-Pailleron, 75019 Paris. Tél. (1) 42 09 23 00.

Union syndicale des journalistes CFDT, 42, rue du Faubourg-Montmartre, 75009 Paris. Tél. (1) 42 46 58 22.

Imprimerie Graphique de l'Ouest
85170 Le Poiré-sur-Vie
Dépôt légal 4ème trimestre 1988